W9-AQK-696

40-8

LOS MAYAS EN LA ERA DE LA MAQUINA

IMPRESO EN GUATEMALA, CENTROAMERICA
Editorial José de Pineda Ibarra. Ministerio de Educación — 1970

SEMINARIO DE INTEGRACION SOCIAL GUATEMALTECA

Publicación N° 27

Consejo Consultivo

Jorge Skinner-Klée

José Rolz Bennett

Adolfo Molina Orantes

Vicente Díaz Samayoa

Hugo Cerezo Dardón

David Vela

Juan de Dios Rosales

Ernesto Chinchilla Aguilar

Secretario General

Flavio Rojas Lima

Los Mayas en la Era de la Máquina

LA INDUSTRIALIZACION DE UNA COMUNIDAD GUATEMALTECA

MANNING NASH

●

EDITORIAL JOSE DE PINEDA IBARRA
Ministerio de Educación — Guatemala, Centroamérica

1 9 7 0

72704

Título original:

Machine Age Maya; The Industrialization of a
Guatemalan Community

Versión al español de
Fernando Cruz Sandoval

301.2972
S471
v.27

(Tomado, con autorización, de The Free Press, Glencoe, Illinois
- Research Center in Economic Development and Cultural Change,
The University of Chicago)

CONTENIDO

72704

PREFACIO

Me doy cuenta de que este estudio es una de esas empresas
que los antropólogos no acometen con frecuencia. La industrialización ha sido materia de otras disciplinas en el campo
de las ciencias sociales. Yo abordo el problema como una consecuencia de las transformaciones en los límites de la investigación antropológica. Los problemas que confrontan los primitivos
y campesinos en su vida diaria, se convierten eventualmente
en las áreas de estudio para la Antropología. Mi interés en
la estructura y funcionamiento de los sistemas económicos en
pequeña escala y la dinámica del desarrollo económico, viene
tanto del tronco común de la teoría antropológica como de
la realidad misma. Mi preocupación por la industrialización
de pueblos no occidentalizados se desprende de aquel interés
general y de la tendencia mundial contemporánea por mejorar
los niveles económicos. Considero un tributo a la vitalidad
y validez de la Antropología el hecho de que mi capacitación
general y acervo conceptual me haya permitido captar el problema del impacto fabril en Cantel.

Estoy en deuda con los maestros que me enseñaron Antropología: Sol Tax, Robert Redfield, Fred Eggan, Norman
McQuown y Sherwood Washburn. Tengo una deuda especial
hacia Sol Tax, no sólo por su sabia dirección y estímulo
intelectual, sino por su bondadosa ayuda e incentivo personal.
A Bert Hoselitz agradezco todos los conocimientos que pude
adquirir sobre los problemas del desarrollo económico y por la

11

oportunidad que me brindó por medio del Research Center for the Study of Economic Development para ordenar mis materiales de campo.

No hallo palabras adecuadas para dar idea de la magnitud de mi deuda hacia mi esposa, June Nash. Su habilidad personal para vivir en un ambiente cultural extraño, ayudó a que nuestra estadía en Cantel fuese lisonjera, y su pericia profesional como antropóloga contribuyó en gran medida al presente estudio; ella también dibujó los mapas e ilustraciones para este texto.

En el curso del estudio y durante dos meses, fui ayudado por el señor Benjamín Cush Chan del Instituto Indigenista de Guatemala, para quien guardo gratitud lo mismo que para el exdirector de dicho instituto, señor Joaquín Noval. Al nuevo director del mismo, licenciado Juan de Dios Rosales, agradezco las bondades de que me hizo objeto. En la ciudad de Guatemala, Richard N. Adams me brindó su eficaz ayuda y su amistad.

Deseo dar las gracias al Social Science Research Council que auspició mi trabajo de campo. La publicación de este estudio fue patrocinada por el fondo Marian and Adolph Lichtstern del Departamento de Antropología de la Universidad de Chicago.

A la gente de Cantel, y especialmente a los amigos que dejé allí, deseo expresarles mi aprecio por su cooperación.

Estoy agradecido a la señorita Joan Ablon por su ayuda en la corrección de pruebas. A Walter Goldschmidt y Betty Bell agradezco su dirección editorial, su paciencia y sus numerosas sugestiones que mejoraron este trabajo.

1958

PARA JUNE NASH

CAPITULO I

INDUSTRIALIZACION: EXAMEN DE SUS IMPACTOS

Este es un estudio del pueblo de Cantel, una comunidad indígena del altiplano occidental de Guatemala. Es la descripción y análisis de una gente que se ha desplazado con éxito, de una simple tecnología agrícola no muy distinta de la de sus antepasados precolombinos, a la operación en su seno de la más grande fábrica textil de Centroamérica.

La adaptación de esta comunidad indígena al trabajo fabril, al salario en efectivo y a los vínculos más amplios del moderno mundo industrial, es un precip'tado de la historia. El ajuste entre la cultura indígena y la fábrica vino a través de un proceso de ensayos y errores a lo largo de más de tres generaciones, sin planes detallados, sin agencia planificadora y casi sin ser advertido. Actualmente en los altiplanos de Guatemala, un pueblo que todavía habla quiché, cuyas mujeres todavía conservan sus trajes típicos, y con una visión del mundo de espíritus y santos en su mayor parte intacta, ha aprendido a coexistir con un régimen fabril. Cantel, por supuesto, ha cambiado con el advenimiento de la fábrica, pero los cambios, como se verá más adelante, han sido de tal clase que permiten a la gente conservar su integridad social y su identidad cultural.

La experiencia de Cantel resulta más extraordinaria al considerarla a la luz de la expansión contemporánea de la

15

tecnología industrial a las sociedades campesinas y primitivas. Desde el archipiélago Malayo a la China, en Africa, en la India, la expansión de los medios industriales para superar la pobreza ha sido invariablemente destructiva, en uno u otro aspecto, para la sociedad nativa. Hemos llegado a pensar de la industrialización como el comienzo de una drástica concatenación de cambios sociales y culturales que algún día puede transformar a las sociedades tribales y campesinas del mundo en una masa gris de proletarios, nivelando sus distintivas y valiosas formas de vida, en una u otra copia pálida del modo de vida occidental.

Es difícil desenredar de esta imagen de la industrialización la complicada madeja de sus causas y efectos. Aun la experiencia inglesa de transformación industrial, con su rica documentación histórica, no nos indica con claridad qué impactos podemos esperar razonablemente de la producción fabril, de la urbanización, de las nuevas concepciones religiosas y científicas y de una nueva interpretación de la moral como partes de una serie de eventos que se sintetizan en el marbete de "revolución industrial".

El estudio de Cantel sirve dos propósitos principales. Primero, relata la forma en que esta comunidad en particular desarrolla mecanismos que le permiten adaptarse a un nuevo modo de producción con una pérdida cultural o desorganización social relativamente escasa. En segundo lugar, la experiencia de Cantel arroja luz sobre el proceso mismo de industrialización, agudizando nuestra comprensión del cambio social y cultural y aclarando nuestra interpretación de las causas y efectos en un determinado momento del cambio industrial. Estos objetivos paralelos teóricos o científicos, conducen a la conclusión práctica que todas las ciencias, incluso las sociales, persiguen eventualmente: la consciente y bien informada intervención del hombre en sus propios asuntos.

La dificultad de hacer científicamente relevante la experiencia de Cantel, reside en parte en el método de estudio empleado y los recursos teóricos utilizados. Mi forma de trabajo ha sido la de un antropólogo social, y por cuanto la Antropología social es una de las ciencias sociales más nuevas, pienso que es necesario dejar expresado claramente cómo la conceptúo y cómo esta concepción influye en mi descripción y análisis de Cantel. La Antropología social depende, ante todo, de datos familiares de primera mano. La situación real de una sociedad es recogida en el campo por el antropólogo. Mi esposa y yo pasamos catorce meses en Cantel, viviendo en la cabecera municipal. Valiéndonos de nuestra observación, participación y preguntas llegamos a formarnos una imagen de Cantel. Asistimos a las principales actividades sociales recurrentes como matrimonios, procesiones religiosas, entierros, bautizos, mercados y fiestas; asimismo observamos y tuvimos alguna participación en la vida diaria. Llegamos a conocer colectiva e individualmente a muchas personas de Cantel, tanto hombres como mujeres. Para formarnos una imagen de la cultura de Cantel, seguimos el usual método de campo de la continua revisión de hipótesis sobre el significado de actos y artefactos. Se comienza con alguna observación o el comentario de informantes sobre una parte de la vida social. Ello constituye un dato debidamente registrado en nuestro diario o libro de notas, pero todavía no es un hecho significativo. Los hechos sociales que reportamos están basados en miles de observaciones, y fueron comparados periódicamente durante la temporada de trabajo de campo en cuanto a su contexto, frecuencia y significado. Cuando digo, por ejemplo, que "la familia considera que tomar juntos los alimentos es algo casi sagrado", esta frase refleja las muchas veces que he comido con los canteleños, viéndolos guardar silencio durante las comidas, advirtiendo la formalidad con que son servidos los alimentos, oyendo dar las gracias a los dioses y notando la actitud general de ceremonia en torno al acto de comer. También les he preguntado qué piensan sobre el significado de la comida y por qué hacen las cosas que hacen, y ellos me han dicho, en parte, que la comida es algo semejante a la misa, que la comida es una muestra de la benevolencia de la naturaleza, y que ellos están agradecidos de poder saciar el hambre, y otras observaciones semejantes. Cada hombre y cada mujer dice sobre esto algo parecido, y sin embargo diferente, de lo que dicen sus conterráneos; tal como cada comida es parecida y sin embargo diferente de la que le precede y de la que le seguirá después. Mi reporte sobre el significado de las comidas es un resumen de las regularidades observadas en ellas, es una mezcla de cosas vistas y de explicaciones recibidas, y que se convirtió en un hecho social digno de ser reportado cuando me di cuenta que podía actuar en una comida de Cantel con las mismas ideas generales que la gente de la comunidad. El antropólogo social que sigue este procedimiento establece los perfiles de una cultura y una sociedad, valiéndose de la experiencia de vivir en un medio extraño. En diferentes situaciones en el campo, el balance entre la observación y lo que indican los informantes varía, pero en Cantel la observación sobrepasó con creces, como medio de estudio, las palabras de los informantes, puesto que la gente no es dada a reflexionar sobre los esquemas de sus vidas, y los modos regulares de vida —que constituyen la materia de este estudio— no afloran fácilmente a sus labios.

Con lo expuesto creo que se hace evidente por qué los antropólogos llevan por lo general esquemas de investigación poco estructurados a su campo de estudio. Hay toda una serie de aspectos ordinarios del trabajo de campo que no pueden ser previstos, tales como ese aspecto de la vida de la gente que vendrá a comprometer nuestro tiempo en el campo, la comparación específica sobre el terreno que puede producir nuevos conocimientos, los problemas especiales de investigación en asuntos delicados, alguna mina de información insospechada. El antropólogo construye su plan detallado de investigación en el momento de efectuar su trabajo de campo, puesto que su principal cometido radica en los fenómenos y su interpretación, no en la acumulación de datos para llenar los espacios de algún modelo de investigación social.

En el proceso de abstraer las regularidades sociales a partir del flujo de la realidad de una cultura extraña, el trabajador de campo es continuamente llevado a áreas de observación cada vez más amplias. Para entender una comida en Cantel son necesarios algunos conocimientos sobre la organización religiosa, las relaciones de parentesco, prácticas agrícolas, construcción de las casas, etiqueta y otros muchos factores que intervienen en la preparación, servicio y comida de los alimentos. Puesto que un trabajador de campo no puede saber de antemano qué es lo relevante, su procedimiento es el de lanzar la red de su observación tan lejos como pueda y en el intento obtendrá información acerca de todas las formas de vida de un pueblo. La antropología social participa de una herencia dual que deriva del hecho de las interconexiones existentes entre conjuntos de acciones sociales y su exploración. Por la naturaleza de los datos investigados y por sus modos de investigar, los antropólogos sociales emplean una variedad u otra de teoría funcionalista: se ven obligados a observar los nexos de interdependencia de las formas de vida de un pueblo, para poder evocar siquiera los hechos sociales y culturales más elementales. Además, el funcionalismo inducido intrínsecamente por los datos investigados y por el método, conlleva una aceptación de la premisa antropológica de estudiar e interpretar la realidad sociocultural como una totalidad. Lo que se da a conocer al público es algún tipo de conjunto social, visto de primera mano.

De esta observación microscópica de una sociedad se espera que surjan conclusiones macroscópicas que atañen a las interrogantes generales acerca del hombre en sociedad. Por tanto, en el caso ideal, el trabajador de campo hace dos cosas: recoge hechos particulares e intenta relacionarlos en una concepción general y trata de hacer de su estudio no sólo una descripción y análisis de un solo pueblo, sino algo que se relacione con una cuestión general de importancia científica o que ilumine algún compartimiento de la naturaleza humana o los procesos sociales. Los estudios particulares son parte de alguna estructura de comparación implícita o explícita, puesto que la Antropología social es una disciplina comparativa. Cuando menos, el trabajo de campo reportado ocupa su lugar en la creciente comprensión de las diferencias y similitudes de la vida social de los hombres a través del tiempo y del espacio.

Nosotros llevamos a Cantel algunos conocimientos sobre la interpretación del impacto industrial, obtenidos tanto de los escritos de nuestros colegas en Antropología y las ciencias sociales afines como del análisis histórico. Nuestra tarea en el campo, además de reportar de manera significativa e inteligible, consistió en analizar nuestros datos a fin de que fueran en alguna forma comparables con otros casos de industrialización o de cambio tecnológico. A medida que nuestra imagen de la comunidad tomó forma, decidimos seguir dos términos de comparación:

1. La comparación de los trabajadores indígenas de la fábrica con los indígenas agricultores.

2. La comparación de Cantel como una comunidad con otras comunidades circundantes que se diferencian por la falta de una fábrica en ellas.

Estos términos de comparación determinan en parte la presentación del material y creo que ejemplifican uno de los recursos de la Antropología social: la conversión de interrogantes y generalizaciones amplias y abstractas propias de las ciencias sociales a magnitudes y planteamientos adecuados a la realidad. Nuestro marco de comparación se basa en una aplicación particular del "método de comparación controlada" como fuera descrito por Eggan (1954).

Cuando en las conclusiones y el sumario, paso a aquellas generalizaciones que autorizan mis datos, y a alguna formulación que los trasciende, me adhiero a una especie de teoría explícita sobre sistemas culturales y sociales. Es claro que me adhiero a un tipo modificado de teoría estructural y funcional. Las modificaciones provienen principalmente de lo que he aprendido sobre la necesidad de una continua acomodación y adaptación a la vida ordinaria en las sociedades relativamente pequeñas, y también de la importancia que concedo a las consecuencias de las selecciones que para procurar tales acomodaciones y adaptaciones hace la gente.

Estoy convencido de que los procedimientos de la Antropología social son parte valiosa de las ciencias sociales. Los datos recabados, el conjunto analizado, la realidad de una hipótesis, y el amplio marco comparativo de la disciplina, dan a ésta un lugar propio en la investigación social. Para aquellos que consideran que las ciencias sociales consisten en la acumulación de hechos sobre hechos, Cantel, como otros estudios, es como un ladrillo en el muro creciente del conocimiento acerca del impacto fabril en las culturas no occidentales. Pero para mí es más que eso; y creo que esta impresión es un tanto más aspecto usual y recurrente del trabajo antropológico más bien que una conclusión personal. Cantel sugiere que muchas de las preguntas que hemos hecho acerca del impacto de la industrialización, y por ende nuestras conclusiones, están muy desligadas de la vida real de una sociedad que verdaderamente existe en el tiempo y en el espacio. Esto me lleva a inferir que el conocimiento del fenómeno de la industrialización necesita de un nuevo repertorio de preguntas, un nuevo trazo de imágenes que superen y trasciendan las generalizaciones existentes, ya confirmadas o desechadas, sobre la industrialización. Así pues, lo trascendental que percibo en Cantel, y en un estudio antropológico de campo en general, es la transmutación de las preguntas que guían una investigación. El nuevo conjunto de problemas que puedo percibir después de mi experiencia en Cantel me lleva a decir que la Antropología social no es sólo la acumulación de hechos sobre hechos y el ordenamiento de hechos en una generalización resumida, sino más bien, una especie de catalítico que continuamente lleva al reexamen del aparato teórico total por medio del cual entendemos la vida humana.

La medida en que el estudio de Cantel haya tenido éxito es doble: como la comprensión de la experiencia de la gente de una comunidad y como un caso que nos lleva a examinar de nuevo nuestras ideas sobre las consecuencias de cierta clase de cambio social.

CAPITULO II

EL LUGAR Y LA GENTE

Cantel es uno de una serie de municipios indígenas situados en los altiplanos occidentales de Guatemala. Como las otras comunidades indígenas (Tax 1937), es una entidad social de características propias. Sus límites físicos están claramente demarcados; sus habitantes visten un traje típico y hablan una variedad local del quiché. Las costumbres de los pobladores varían en pequeñas pero infinitas maneras, con respecto a los municipios vecinos. Son casi endógamos. Piensan de sí mismos como canteleños, es decir como gente de Cantel, que tiene una identidad étnica y un conjunto de conocimientos comunes que sólo los canteleños pueden tener y que los separan del resto de la humanidad. Al igual que otras comunidades indígenas del altiplano, Cantel es parte del sistema de mercados rotativos, con base en la especialización de su municipio como un centro distribuidor de maíz y trigo (McBryde 1945). La comunidad mantiene su mezcla de culturas indígena y española más o menos estabilizada en esa área desde hace unos 400 años. Los rasgos característicos son una jerarquía civil-religiosa, una serie de hermandades religiosas dedicadas al culto de los santos, un sistema de agricultura simple, con pequeñas parcelas y un bajo nivel del desarrollo tecnológico y un sistema de mercado monetario (Tax 1953). Brujos, espíritus, el calendario maya adivinatorio de 260 días, montañas con sus demonios, y aspectos personificados de la naturaleza son parte de la definición canteleña del mundo.

La diferencia radical de Cantel con respecto a otros municipios es la presencia dentro de sus límites de la más grande fábrica de tejidos de algodón de Centroamérica y el empleo en esa planta de aproximadamente un cuarto de su población económicamente activa.

Los estudios de otras comunidades indígenas del altiplano (Tax 1937, 1953; Wagley 1941, 1949) y algunos reconocimientos generales de la cultura de la región (Redfield y Tax 1952) proporcionan una idea claramente detallada y precisa de los patrones culturales y sociales propios de las comunidades indígenas mesoamericanas. Esas descripciones proveen una base desde la cual pueden establecerse algunos de los cambios en Cantel. La historia, y la transmisión oral de la misma, tal como fuera obtenida de los canteleños más viejos, confirma la idea de que el cuadro general trazado por otros etnólogos podría haber descrito al Cantel anterior a la instalación de la fábrica.

Puesto que Cantel es un caso único de producción fabril en la región y dado que existe una base comparativa firme para establecer los cambios y conocer las agencias de cambio, el estudio del impacto de la fábrica en Cantel se aproxima como el que más, para la Antropología social, a una situación experimental o de laboratorio.

El municipio de Cantel está situado un poco más de doscientos kilómetros al oeste y ligeramente al sur de la ciudad capital de Guatemala y a doce kilómetros al sudeste de Quezaltenango, la segunda ciudad de la república, con la cual se conecta por medio de una carretera transitable todo el tiempo (Figura 1). Los veintiséis kilómetros cuadrados que comprende el área del municipio se localizan en el extremo oriental del elevado valle de Quezaltenango. Cantel, que tiene una altura promedio de más de 8,000 pies, se asienta como un oblongo irregular rodeado al sur, este y oeste por un cinturón de volcanes recientes. En el norte, Cantel se abre hacia el valle.

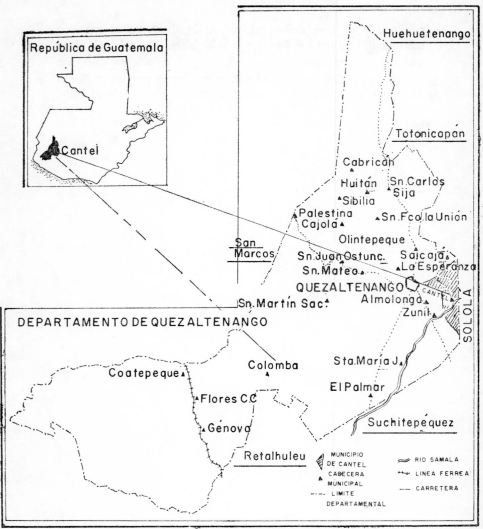

Fig.1. Depto. de Quezaltenango

EL CENTRO URBANO

Llegando a Cantel por el camino de Quezaltenango el terre-no es plano. En el centro urbano —una depresión poco pro-funda—, la vista es atraída hacia el este por las moles volcánicas que se desvanecen en un matiz verde y azul, y por el río Samalá, distante un cuarto de milla aproximadamente, y el cual separa al pueblo del área rural que lo circunda. La tierra baja con una inclinación de cincuenta por ciento hacia el río, más allá del cual está situada la fábrica. Del otro lado del río hay un llano donde las casas de los habitantes rurales de Cantel están dispersas en los campos de maíz y de trigo; éstas también se extienden hacia arriba por los declives de las montañas. Al norte la vista es interrumpida por una vasta colina, más allá de la cual se extiende una planicie.

Desde el centro del pueblo no se puede ver el terreno quebrado, cortado por barranco profundo. Hacia el oeste el terreno se eleva en una colina que está coronada por el cemen-terio local. Más allá del cementerio hay una corta extensión de tierra plana cultivable que termina en un barranco distante más o menos una milla. La topografía hace que la tierra plana sea valorada en exceso. Se experimenta la sensación de estar dentro de una cuenca verdosa, quebrada de modo irregular y coronada en los bordes con montañas.

Ecológicamente, el municipio se divide en dos asenta-mientos urbanos y seis rurales, con senderos y caminos entre los núcleos de población (Figura 2). El censo de 1950, más fidedigno que los censos anteriores, dio 8,277 habitantes como población total del municipio, con 1,692 en la cabecera muni-cipal y 6,585 en los núcleos restantes (Sexto censo, 1950:212). Si hemos de confiar en el censo de 1921, la población de Cantel se ha multiplicado; las cifras de ese año son de 6,657 de

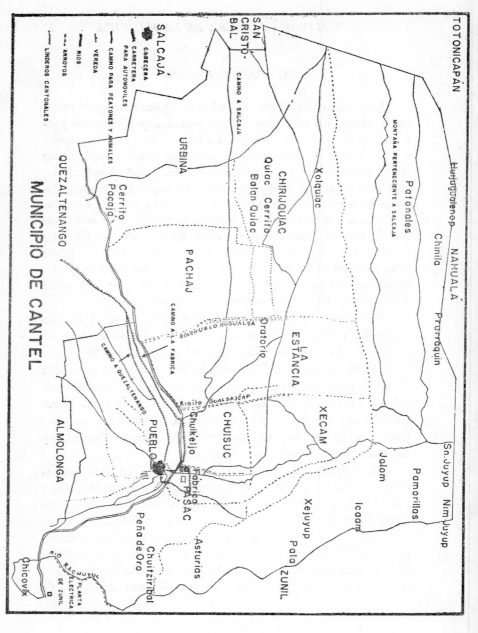

Fig. 2. Municipio de Cantel

población total, con 1,654 habitantes en la cabecera municipal
y 5,003 en las áreas rurales. El municipio ha tenido, aparentemente, un aumento neto de población de sólo 445 personas
desde 1893 (Cuarto censo, 1924).

El municipio se divide en cantones, que son todos asenta-
mientos rurales (la fábrica y las viviendas de los obreros están
en el centro de un asentamiento agrícola), cuyos nombres y
límites se indican en la figura 2. Las consecuencias de este
modelo de asentamiento se reflejan en los aspectos físico, social
y económico y en el ritmo de vida.

En el pueblo las casas están estrechamente unidas, alineadas a la usanza española, en calles orientadas paralela-
mente a los lados de la plaza central (Figura 3). Sólo una
pared de adobe o algunas veces un tabique de madera, separa
un predio del otro, y el ruido, las voces y la presencia de los
vecinos son cosa constante. El pueblo es el centro social y
religioso de todo el municipio. En torno a la plaza —donde se
sitúa el mercado cada fin de semana—, están los edificios
gubernativos: un juzgado donde el alcalde local desempeña
sus funciones diarias, la oficina de la tesorería, la sede de
la jefatura de policía con sus veinte agentes locales, las cár-
celes separadas de mujeres y hombres, y la iglesia que guarda
la imagen del santo patrón. Las siete cofradías, hermandades
religiosas que cuidan de los santos, tienen casas en el centro
urbano. Además de ser el centro de la justicia y el culto,
el pueblo atrae a la población de los cantones circunvecinos
por las fiestas, el mercado dominical, los servicios de telégrafos
y correos, las panaderías, las pequeñas tiendas, los molinos
eléctricos, y por los tres automóviles que hacen viajes diarios
a Quezaltenango.

La contigüidad de las casas en el pueblo, con menos
de cinco desocupadas en un total de 465, contribuye a dar
una frecuencia y regularidad al intercambio social que no

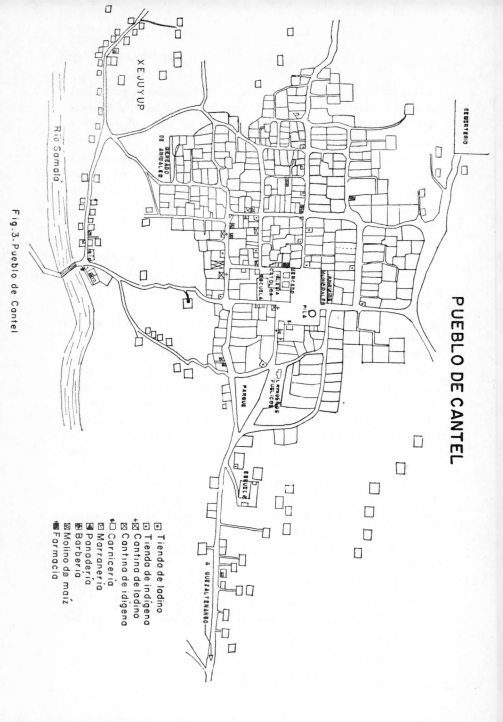

Fig. 3. Pueblo de Cantel

PUEBLO DE CANTEL

XEJUYUP

Río Samalá

CEMENTERIO

A QUEZALTENANGO

☐ Tienda de ladino
☐ Tienda de indígena
☒ Cantina de ladino
☒ Cantina de indígena
☐ Carnicería
☐ Marranería
☐ Panadería
☐ Barbería
☒ Molino de maíz
☐ Farmacia

se encuentra en los núcleos rurales. El agrupamiento de casas contiguas en una área limitada, con vecinos que no siempre son parientes ni aun amigos, refleja cómo funcionan los factores impersonales en la selección del predio de las casas. El pueblo es la sede principal de las ocupaciones especializadas y de las tiendas, y la distribución de las casas es una consecuencia de la operación de modelos universales más bien que de las particularidades del parentesco.

Un vecino del pueblo, si es labrador, deja su casa todos los días para ir a su terreno y regresa por la noche a dormir. No necesita alternar entre el pueblo y el campo cuando sirve algún cargo civil o religioso. Las fiestas y el mercado dominical están a un paso y aun los medios de transporte para salir del pueblo pueden conseguirse en la plaza.

De acuerdo con nuestro propio censo, la población del pueblo es de 1,910 habitantes; 96.2% son indígenas y 3.8% son ladinos o no indígenas. La estructura ocupacional del pueblo indica que el 17.7% de las personas mayores de 15 años de edad está empleado en alguna ocupación especializada; si esto se compara con la aldea denominada Estancia, donde sólo el 11.5% es de especialistas y en escala mucho menor, se advierte que el pueblo sirve como un lugar para la contratación de servicios por dinero.

LA SEDE DE LA FABRICA

Pasac, el núcleo de casas que circunda la fábrica, está localizado en lo que antes fue sólo un caserío; su núcleo es ahora parecido al del pueblo, en que las casas están alineadas a lo largo de calles más o menos rectas (Figura 4). Las casas lindan una con otra y la vida privada se asegura por medio de la puerta cerrada más bien que por la pared de adobe, ya que las casas de la fábrica no cuentan con un patio o área abierta.

Pasac es un asentamiento denso cuyos habitantes en su mayoría no son dueños de sus casas o del predio que éstas ocupan, y en consecuencia no pueden hacer traspaso de ellos a sus parientes; éstos no viven en agrupaciones de viviendas. El cantón no es un centro administrativo, aunque tiene su propia iglesia que es subsidiaria de la del pueblo; tiene sus propios santos patrones, pero no cofradías.

El rasgo dominante en Pasac son las instalaciones de la fabrica —la planta, el almacén, el garage, una casa grande desocupada de uno de los dueños, las viviendas de los empleados de oficina, la clínica y la escuela de la fábrica—. La ubicación de las instalaciones, la residencia en una casa dada y el ritmo de la actividad están en gran medida determinados por la fábrica, que proporciona, además, un autobús que hace viajes a Quezaltenango. Hay un pequeño mercado los días domingo y sábado, día éste en que la fábrica paga. Una tienda grande que antes era propiedad de la fábrica y que ahora es manejada por un pariente de uno de los directivos de planta, y varias tiendas pequeñas entreveradas con hogares dan aspecto comercial a la calle principal.

El transporte, las tiendas y el pequeño mercado de Pasac hacen que la gente dependa menos del pueblo que la población rural. Un residente de Pasac va al pueblo sólo si le cae en suerte un cargo civil o religioso, si tiene asuntos que arreglar con la justicia local, si hay una fiesta, si desea comprar o vender en el mercado dominical, si tiene un rito católico que cumplir en la iglesia, y sus hijos pueden ir a la escuela del pueblo si no tiene empleo en la fábrica.

La mayor categoría ocupacional, en Pasac, es el trabajo en la fábrica; el 34% de las personas mayores de 15 años y económicamente activas está empleado en la fábrica. Sólo el 13.2% trabaja en la agricultura, y el 17.7% está dedicado a ocupaciones especializadas: éste es el mismo porcentaje que se registra en el pueblo, pero los números absolutos y la variedad de los servicios son menores que en el pueblo. Este porcentaje de especialistas refleja la mayor demanda y capacidad de pago por servicios remunerados por parte de los trabajadores de la fábrica, si se les compara con los trabajadores agrícolas.

La composición familiar que prevalece en Pasac es la de la pareja matrimonial y sus hijos solteros. Formas extendidas de la familia, ya sea de hijos casados viviendo con sus padres o parejas de hermanos casados en el mismo hogar, sólo se encuentran en el 19% de los hogares; tales formas extendidas se encuentran en el 23.7% de las familias del pueblo y en el 24.9% de la población rural censada. Estos porcentajes de clases de familias, tanto en el caso de la familia primaria como en el de la extendida, sugieren que la asignación de las viviendas por la fábrica ha reducido la posibilidad de formar hogares extendidos y que, tal como se verá más tarde, hay en consecuencia menos énfasis en la continuidad familiar en el área de la fábrica.

Pasac tiene 143 indígenas foráneos —indígenas no nacidos en Cantel— que es el mayor número en todo el municipio. De los 1,823 habitantes de Pasac, 87.5% son indígenas y 12.5% ladinos. Este es también el mayor porcentaje de ladinos en el municipio. El número de indígenas foráneos y de ladinos en Pasac, aunque no es considerable respecto a la población total del municipio, indica el poder de atracción que ejercen los salarios de la fábrica sobre los indígenas que viven fuera de Cantel y para los ladinos pobres.

LOS CANTONES RURALES

En las áreas rurales de Cantel vive la mayor parte de la población. A juzgar por los municipios vecinos y por un antiguo mapa de Cantel, es de suponer que dichas áreas muestran un patrón de asentamiento y una ecología social viejos y relativamente poco cambiados. Hicimos un censo completo y un mapa de las casas del cantón de Estancia después de conocer suficientemente otros cantones para comprobar que bien podría servir como un ejemplo de los otros y como un contraste con el pueblo y con Pasac. En Estancia, como en otras áreas rurales, una casa está separada de la siguiente por una extensión de terreno cultivado, aunque a menudo un grupo de cuatro o cinco casas está situado dentro de una pequeña área (Figura 5). Sólo hay una calle, llamada el camino real, y en ella dos tiendas, la jefatura que habitan el alcalde auxiliar y su ayudante, el local de la escuela, una carpintería, varias casas y los molinos de maíz, accionados por gasolina, a los que concurren las mujeres.

Las agrupaciones de casas están generalmente ocupadas por grupos de parientes, reunidos en una área por la herencia de la tierra. Las familias emparentadas nunca funcionan como un grupo, ni forman cuerpos con un nombre común o corporativos.

La vida económica de Estancia se refleja en el hecho de que la mayoría de los hombres es de agricultores y la mayoría de las mujeres, de amas de casa. La agricultura no atrae muchos hombres indígenas foráneos o muchos ladinos. De los 928 habitantes de Estancia, 97.6% son indígenas y solamente 12 de éstos nacieron fuera del municipio.

Las otras seis áreas pobladas son rurales, compuestas principalmente de agricultores indígenas del lugar. La población agrícola vive en hogares diseminados en pequeñas parcelas de tierra que por lo general son propias y cultivadas por la familia. Hay cierto aglutinamiento de viviendas de parientes como reflejo del patrón hereditario de la tierra, pero éstos no forman agrupaciones familiares.

Los habitantes de Cantel son canteleños, gente nacida dentro del área física del municipio, como lo fueron sus antepasados. Son los que pueden decir *ural nitinamit*, "éste es mi pueblo". Ellos hablan un dialecto local del quiché que puede ser fácilmente distinguido de las variedades habladas en los pueblos cercanos de Zunil, Almolonga, San Cristóbal o Totonicapán, por ejemplo, aunque todas estas lenguas son mutuamente inteligibles. Las mujeres de Cantel se diferencian de otras mujeres en el valle de Quezaltenango por pequeñas variaciones en el estilo de su traje; los hombres, en cambio, tienen un traje indígena generalizado que difiere del traje masculino de tipo occidental en la hechura y en el frecuente uso de una banda de colores en lugar de cinturón. Andan descalzos por lo general, o calzados con caites.

Más importante que los límites sociales del municipio o su traje y lengua característicos para definir a los canteleños como un grupo étnico, es su herencia cultural llamada localmente "nuestra costumbre". La práctica de su propia costumbre y la comprensión y respeto por ella distinguen al canteleño de todos los otros hombres del mundo, y al fin hacen de él un miembro de su *tinamit* o pueblo. Los canteleños están conscientes de su identidad cultural y aluden a las prácticas funerarias de Zunil, a las costumbres sobre el matrimonio de Almolonga, a la forma de saludar en la calle en San Juan Ostuncalco, por ejemplo, como algo diferente, como algo que no constituye la "costumbre" o modo de vida de Cantel. Los canteleños, por consiguiente, son un pueblo unido por la sangre y la costumbre, distinto de sus vecinos tanto desde su propio punto de vista como de hecho.

CAPITULO III

LA FABRICA: SU INTRODUCCION, HISTORIA Y RELACION CON LA COMUNIDAD

FUNDACION DE LA FABRICA

En 1876 la firma española Sánchez e hijos introdujo una fábrica de tejidos de algodón en el municipio de Cantel. La fábrica fue montada sobre las márgenes del río Samalá, porque la corriente de éste tenía suficiente fuerza para mover una turbina que a la vez impulsaba las hiladoras y otras máquinas de la fábrica. Al principio la operación era reducida, con veinte hiladoras de algodón traídas de Oldham, Inglaterra. La empresa construyó un local para alojar la turbina y las máquinas. Fueron empleados cuatro ingenieros ingleses como asesores técnicos y para enseñar a la gente contratada "cómo trabajar". El terreno donde la fábrica fue construida y donde hoy se mantiene, fue comprado en parte al municipio y en parte al propietario de un pequeño molino de trigo que antes ocupaba ese sitio.

Los canteleños se disgustaron por la fundación de la fábrica. Historias de los temores que entonces circulaban son relatadas hoy en tono de burla. Un viejo que llegó a la fábrica a la edad de cuatro años, cuando sus padres se trasladaron a Cantel desde el cercano departamento de Totonicapán, recuerda claramente los temores expresados por los canteleños, quienes pensaban que la fábrica podría absorber la tierra municipal, desbaratar las costumbres y expulsar a la gente del municipio. En 1884 este resentimiento se tornó en un intento para expulsar la fábrica. Los principales, o sea los ancianos del pueblo, exigieron que los propietarios de la fábrica abandonaran el pueblo o de otro modo la gente reduciría la fábrica a cenizas. En respuesta a esta amenaza, uno de los mayores accionistas de la fábrica y miembro de la familia que posee ahora la misma en forma exclusiva, recurrió al jefe político departamental y al presidente de la república para que enviaran tropas. Soldados del ejército nacional fueron apostados alrededor de la fábrica y en el pueblo. La presencia de tropas contuvo el antagonismo declarado, pero los primeros trabajadores de la fábrica no eran de Cantel y los canteleños no llegaron a la fábrica en ningún número sino hasta cerca de 1890.

Antes de 1880, según Manuel H., un octogenario que ha vivido en la comunidad fabril desde 1878, la fábrica empleaba cerca de 25 personas. En 1884 el personal aumentó a cerca de 100, y en la década de 1890 los trabajadores pasaron a ser centenares. Desde principios del siglo, la fuerza de trabajo ha fluctuado entre 800 y 1,000 personas.

Los primeros trabajadores de la fábrica eran pobres, ladinos sin bienes o indígenas "ladinizados" procedentes de los municipios del valle, principalmente Totonicapán, San Cristóbal, Salcajá, Quezaltenango y San Francisco el Alto; esta diversidad de origen se refleja todavía en el elemento foráneo de la población de la fábrica. Estos primeros trabajadores fueron provistos de tierra y alojamiento gratuito por la fábrica, y trabajaron jornadas de sólo medio día, horario que caracterizó a la fábrica hasta 1884. Desde la fundación hasta 1884, los salarios no superaron a aquellos que podía ganar un labriego en su propia tierra o como jornalero de tiempo completo.

De 1884 a 1890 la fábrica trabajó 12 horas al día, pasó dificultades para estabilizar su mano de obra migrante y no tuvo éxito en atraer canteleños al trabajo. Aun en 1890, cuando la jornada diaria se redujo a diez horas, la fuerza de trabajo se caracterizaba por un ausentismo frecuente, un constante cambio de personal y pobre rendimiento en el trabajo.

Alrededor de 1890, los canteleños comenzaron a llegar a trabajar a la fábrica. Manuel H. dice que vinieron al ver que "no había novedades", o que los trastornos esperados no ocurrían. De mis observaciones y entrevistas con trabajadores con muchos años de servicio en la fábrica, se desprende que los primeros canteleños que solicitaron trabajo en ella fueron de dos clases: hombres sin tierra o con escasos bienes que se vieron empujados por la pobreza o la imposibilidad de encontrar trabajo en la agricultura, o bien fueron elementos sin capacidad para ganar dinero, o marginales y suplementarios en el patrón económico tradicional, ya sea niños de 8 a 15 años o mujeres.

Al comienzo del siglo la fábrica estaba firmemente establecida en las márgenes del Samalá, trabajaba diariamente, daba ocupación a centenares de personas y operaba unas 82 máquinas, con muchos canteleños empleados en la planta. En 1906 hubo algún conflicto laboral cuando los trabajadores presentaron demandas por mejores salarios y reducción de la jornada de trabajo. Según Manuel y otros informantes, los propietarios no fueron capaces de atender en forma efectiva el descontento de los trabajadores, pero algunos de los accionistas, una familia de cuatro hermanos, pudieron hacerlo e impidieron la huelga o paro laboral que aquéllos se habían propuesto. Su eficiente actuación en el problema laboral dio lugar a una reorganización de la compañía; una sola familia surgió como única propietaria, dando lugar a una situación que permanece hasta la fecha. La técnica para el arreglo de la disputa de 1906 fue una continuación de los métodos usados anteriormente para el trato con la comunidad, exceptuando el uso de tropas o de la policía nacional. Según informantes indígenas envueltos en las primeras disputas laborales, la fórmula para resolver los conflictos laborales consistía en llamar a la policía nacional para que encarcelara a los descontentos más señalados, despedir a uno que otro quejoso y exhortar por medio de los directores de la fábrica a quienes se quedaban.

La policía local era usada para combatir el ausentismo crónico; recogía a los trabajadores retrasados o ausentes el lunes por la mañana y los llevaba a la fábrica a requerimiento de los propietarios.

Aunque mis datos no son completos en lo que respecta al período anterior a 1945, es claro que el ausentismo, el descontento de los trabajadores y el considerable cambio de personal eran rasgos crónicos de la fábrica hasta la tercera o cuarta década del presente siglo. La dirección de la fábrica comenzó gradualmente a establecer servicios y hacer concesiones a los trabajadores, lo cual redujo el abatimiento de la mano de obra y ayudó a estabilizarla. La fábrica comenzó a construir casas en 1910, aumentando el número de las que estuvieron disponibles para los trabajadores hasta 1945. Las calles principales del poblado de la fábrica, los edificios públicos y varias de las casas propias de la fábrica ocupadas por los trabajadores, fueron dotadas de electricidad a comienzos del año de 1930. Se estableció una clínica y a los veinte años se inauguró la escuela de la fábrica. Se dio tierra en usufructo a los trabajadores. Entrevistas fortuitas con varios de éstos indican que los períodos largos e ininterrumpidos de empleo son ahora lo normal.

El estado inicial de coerción, de empleo de foráneos, de reclutamiento de canteleños marginados del trabajo, de bajos salarios y largas jornadas, podría ser considerado como un impedimento para el actual ajuste entre la fábrica y la comunidad y para asegurar la confianza en la mano de obra de Cantel. Pero ocurrió justamente lo contrario. Lo que pudo haber sido con facilidad una herencia de suspicacia y temor ha sido convertido por los canteleños, al hacer comparaciones con las actuales circunstancias más libres y favorables, en un punto de partida para juzgar las presentes ventajas. La primera respuesta de un pueblo ante la intrusión cultural no tiene necesariamente el mismo aspecto positivo o negativo que después de un juicio sazonado por el tiempo.

OPERACION DE LA FABRICA

En 1954 la fábrica empleaba unas 900 personas, de las cuales eran hombres un poco más de 500. Esto mantiene el balance establecido del predominio masculino en la mano de obra. La gente trabaja una jornada de ocho horas, ya sea en el primer turno, de 6 a.m. a 10 a.m. y de 2 p.m. a 6 p.m., o en el segundo turno, de 10 a.m. a 2 p.m. y de 6 p.m. a 10 p.m. El sábado la jornada de trabajo es de 8 a.m. hasta el mediodía. Se trabaja por un salario en efectivo que en 1954 y en los años anteriores se había fijado en Q1.20 como mínimo al día. (El quetzal, unidad monetaria de Guatemala, equivale exactamente a un dólar de los Estados Unidos.) El personal trabaja en varios departamentos —hilandería, tejido, teñido, talleres de carpintería y máquinas; además, hay trabajadores que reciben, empacan y desempacan algodón y artículos de algodón. La mayor parte del personal se emplea en el hilado del algodón y el tejido de telas lisas. Una proporción menor se ocupa en el manejo de los telares Jacquard, y una cantidad aun menor, en el teñido de la tela.

Lo primero que se ve al entrar en la fábrica son las máquinas que toman el algodón desmotado de las pacas y lo desenredan. En un cuarto hay varias clases de máquinas hiladoras para hacer los filamentos de algodón. En otro cuarto estos filamentos son torcidos en hilos de diferente peso. Las máquinas hiladoras están dispuestas en filas y, según la operación realizada, tiempo de uso y tipo de la máquina, un operador atiende de dos a cinco máquinas. El arreglo más usual es que un operador atienda dos o tres de ellas. Por cada fila de máquinas hay un caporal o capataz cuya tarea consiste en ver que las máquinas se provean de materia prima, que estén funcionando y que el operador esté atendiéndolas. En otro cuarto las máquinas tejedoras están dispuestas en forma similar a las hiladoras. La planta de teñido se encuentra en un local separado. La Figura 6 presenta, esquemáticamente, el funcionamiento de la fábrica incluyendo lo relativo a telares.

Como en la mayoría de las fábricas latinoamericanas, cada cuarto o sección está decorado con un símbolo de la fe, o sea una cruz con su diaria ofrenda de flores, o con el cuadro de un santo ante el cual se queman candelas. La primera impresión de extrañeza ante los hombres y mujeres pequeños y morenos vestidos con trajes pintorescos, es pronto desvanecida por el insistente zumbido de las máquinas y la tos provocada por el polvillo del algodón: es una fábrica moderna, que marcha al ritmo de la era industrial. El personal indígena desempeña cargos hasta el nivel de caporal y algunos de los trabajos calificados en el taller de máquinas, en el mantenimiento de la planta, y en las secciones de electricidad y turbinas. La identidad étnica como un criterio de aptitud en los trabajos comienza por encima de estos mismos trabajos. Las habilidades de ingeniería aún están en manos de extranjeros: un técnico inglés en tejeduría, un técnico también inglés en hilandería y uno alemán en tintorería. Todos estos hombres son viejos empleados de la fábrica y, conjuntamente con sus esposas y familias extranjeras, residentes permanentes en el poblado de la fábrica. Aparentemente hay alguna preferencia por los ingenieros extranjeros ya que un belga y un español fueron contratados en 1956, para reemplazar a uno de los técnicos ingleses que murió y a otro de ellos que se jubiló. Los ingenieros tienen un *status* superior con respecto a los demás empleados técnicos y tienen casi completa libertad de acción en cuanto a tomar decisiones técnicas; no dan órdenes directamente a los operadores de las máquinas, sino —por lo general— por medio de un caporal nativo. Fuera de la fábrica se mantienen aislados de los moradores, quienes responden con los saludos formales que indican respeto pero sin estimular la conversación.

Los puestos administrativos de la fábrica son desempeñados por ladinos, quienes también residen en casas de la fábrica; ellos son los empleados administrativos y no participan en la dirección de la fábrica. Hay una visible relación jerárquica entre los empleados y los obreros. Aunque hay indígenas competentes para llenar los puestos de empleado, ninguno de ellos ha sido ocupado como tal, ni parece que se les haya tomado en cuenta alguna vez para estos puestos. Por sobre los empleados está un sobrino de la familia dueña de la fábrica y su puesto es el más alto en la escala administrativa. En la práctica, las decisiones importantes son tomadas por los tíos propietarios, o los tres tíos del administrador residente. El gerente local sirve, primordialmente, como canal de comunicación con los propietarios ausentes que viven en la ciudad de Guatemala. Los detalles administrativos de cada día son llenados por los empleados asalariados al mando del administrador, quien es dirigido ostensiblemente por el sobrino de los propietarios.

La casa que opera la fábrica tiene una organización vertical extensiva: no cultiva toda ni la mayor parte del algodón que se consume, pero sí desmota la totalidad de éste, transporta el algodón desmotado a la fábrica en sus propios camiones y distribuye los artículos ya acabados a través de sus propias agencias de venta al por menor y al por mayor o por medio de casas concesionarias. Horizontalmente la casa produce una variedad de artículos. Hilo, cuatro variedades de telas crudas, manteles, servilletas, cubrecamas, algunas variedades de telas a colores con varios diseños y pesos son manufacturados en la planta. La posición de semimonopolio de la fábrica (produce casi el setenta por ciento de los géneros de algodón comprados en Guatemala) en cuanto a la falta de competencia interna y las tarifas proteccionistas contra los productores del exterior, ayuda evidentemente la operación efectiva de esta clase de organización.

La gerencia no está alerta a las oportunidades del mercado. Por ejemplo, no intenta hacer nada para averiguar lo que los consumidores desean y tomar esto como una guía para la producción futura. En vez de ello, se fabrican géneros hasta que comienzan a estorbar en los estantes de los expendios al por menor. Y luego, con base en las quejas de los comerciantes minoristas, se emprende y continúa una nueva línea de producción hasta que el mismo proceso se repite. Las mejores técnicas ocurren al tornarse muy viejas algunas máquinas, las cuales son entonces reemplazadas por otras con menos uso o más modernas.

En la práctica del manejo de la fábrica, los administradores a menudo no saben lo que ocurre en la misma. Las estadísticas sobre las tendencias de la producción, el ausentismo, la eficiencia de la fábrica y otros índices que permitirían a la administración determinar su política, se encuentran en tal estado que resultan inútiles. Una comisión gubernativa pasó seis semanas trabajando con los registros de la casa para establecer por qué los precios de los artículos de Cantel se habían estabilizado como lo estaban, pero aun ellos fueron incapaces de sacar alguna conclusión de dichos registros. El código de operaciones de los gerentes en relación con el mercado externo y las fuentes de materia prima es, en consecuencia, el mero tacto, sólo débilmente fortalecido por el cálculo racional basado en registros de producción, ventas, costos comparativos, u otros análisis complejos.

Las relaciones internas de la fábrica han sido dominadas por una mezcla de paternalismo y autoridad arbitraria. Antes del advenimiento del sindicato en 1945, los administradores de la fábrica se ocupaban por sí mismos de solucionar aun las más pequeñas disputas internas, sin hacer diferencias de niveles de autoridad en el tratamiento de tales problemas. Cada una de las solicitudes, por ejemplo para pedir permiso, era elevada ante el administrador o el sobrino de los dueños para una audiencia y decisión personales; todas las contrataciones y despidos se hacían por el mismo procedimiento, a menudo con una amonestación paternal sobre alguna falta del hombre entrevistado. Esta misma falta de conocimiento acucioso mostrada en el manejo de la producción, se manifiesta en el manejo del personal.

RELACION CON LA COMUNIDAD

En el período que comienza en 1906, pero principalmente en el que se inicia en la década de 1930, la fábrica y la comunidad han llegado gradualmente a un ajuste. Por medio de concesiones mutuas se han puesto las bases para una integración fluida de la fábrica en la comunidad, y del personal de la comunidad en la fábrica. Las modificaciones que permiten a la fábrica atender la producción y a la comunidad mantener sus instituciones, fueron descubiertas en el proceso de vivir la una al lado de la otra, más bien que planeadas.

Los calendarios y horarios de trabajo de la fábrica toman en cuenta las fiestas tradicionales de la comunidad, así como las obligaciones tradicionales de sus miembros. Las temporadas de fiesta, como la feria del pueblo y la Semana Santa, no son períodos de trabajo en la fábrica. Estos largos feriados son compensados trabajando tiempo extra en la tarde del sábado, que no es período usual de operación de la fábrica. Ni la producción ni el salario se reducen como consecuencia de los festejos. El período de cuatro horas entre los turnos permite al trabajador de la fábrica que tiene una pequeña parcela de tierra, atender sus faenas agrícolas sin tener que interrumpir su trabajo allá. Permite también a las mujeres ocuparse en algunos de sus quehaceres domésticos o criar a sus niños pequeños. Si a un trabajador le llega el turno de ocupar cargos civiles o religiosos, la fábrica le da permiso, concediéndole desde una tarde hasta dos años de licencia, sin que sufra la pérdida de su empleo o la de sus derechos laborales.

Desde los días en que fueron llamadas las tropas en 1906, los directores de la fábrica no han apelado a sanciones extralocales en sus relaciones con los canteleños. Ellos llegaron a la conclusión de que en cualquier problema relacionado con la comunidad y la fábrica era más fácil negociar con las autoridades de la comunidad. Por su parte dichas autoridades aprendieron que la negociación y no las amenazas era más útil para obtener lo que deseaban. En pocas palabras, la comunidad no trató de manejar la fábrica, y ésta desistió de tratar de manejar a su antojo a la comunidad. El descubrimiento de que los puntos de fricción podían ser resueltos por medio de pláticas que fructificaban en pequeños compromisos de cada parte, puede verse en varios proyectos comunales que la fábrica y la comunidad han realizado juntas. En cooperación construyeron un puente sobre el Samalá y colaboraron en la introducción del agua. La fábrica pagó la colocación de nuevo piso en la iglesia del pueblo y financió la construcción de la iglesia en el área de la fábrica. Ha hecho donaciones para cubrir gastos de mantenimiento de los caminos y con frecuencia ha prestado ayuda técnica tal como altoparlantes, alambrado, instalación eléctrica, camiones y personal, para celebraciones del pueblo tales como la fiesta titular, la toma de posesión de las autoridades civiles y religiosas y las procesiones. Por su lado, la comunidad permite a los representantes de la fábrica poner libres a aquellos celebrantes de la fiesta que se hallen presos y sean necesarios para el manejo de las máquinas. El personal de policía de Cantel, que no goza de sueldo, lleva a menudo mensajes de la fábrica o transmite los anuncios públicos que ésta desee hacer.

La fábrica y la comunidad desarrollaron estas buenas relaciones en respuesta a su creciente conciencia de la recíproca utilidad, en una situación en la que el capital de la fábrica no permitía mudar ésta a un lugar menos hostil al principio y la comunidad no tenía la intención de renunciar a sus altamente apreciadas autonomía y costumbres.

Otra posible fuente de fricción entre la fábrica y la comunidad, la presencia de una gran población de trabajadores foráneos, se resolvió por sí misma. La mano de obra inicial, integrada por ladinos e indígenas móviles y desarraigados, llegó a Cantel como a una estación del camino donde se podía aprender nuevas habilidades, y así moverse en sentido ascendente en términos socioeconómicos o desplazarse hacia los grandes centros de población. El movimiento hacia los grandes centros de población coincide con la posibilidad de ascender en la posición social en Guatemala, y de este modo, muchos de los primeros laborantes se trasladaron fuera de Cantel. Los pocos que han permanecido se ocupan en las mismas clases de tareas que los canteleños, y su posición y nivel de vida no es de consiguiente muy superior al nivel local.

El funcionamiento de la fábrica no ha cambiado sustancialmente las relaciones de Cantel con las comunidades locales cercanas. Los productos de la fábrica no compiten con los del municipio y así Cantel continúa participando en los mercados regionales con las mismas clases de artículos. Tampoco la fábrica ha hecho de Cantel un centro de comercio y movimiento, acelerando su ritmo de vida y atrayendo nuevas empresas y nuevas clases de gente. El único camino que conecta al pueblo con Quezaltenango sirve todavía a la comunidad y conecta la fábrica con sus fuentes de suministros y puntos de distribución.

Los ladinos y el personal extranjero (incluyendo a los indígenas foráneos) cuyas habilidades especiales son necesarias a la fábrica, no se convierten en miembros de la comunidad local y por tanto no intervienen en su vida social ni se interesan por ella. No desean llegar a formar parte de la comunidad y no podrían conseguirlo aun cuando lo desearan. Ellos están separados por diferencias de costumbre, lengua, relaciones sociales y visión del mundo, y los indígenas de Cantel se esfuerzan en mantenerlos aislados. La estudiada demostración de deferencia para los ladinos y los foráneos por parte de los indígenas crea una situación social donde es imposible la intimidad y se inhibe la comunicación de la comprensión intercultural. Cuando es interrogado por un ladino, el indígena de Cantel trata de encontrar la respuesta que según él, desea escuchar el ladino, pues esto dará fin a la entrevista lo antes posible, y el ladino quedará satisfecho aunque, posiblemente, sin ninguna información. El contacto con los ladinos del lugar es mínimo, excepto por alguna intimidad entre trabajadores de la fábrica y ladinos de la misma posición. La interacción con ladinos generalmente se reduce a una situación impersonal o económica basada en convencionalismos claramente definidos y que crean una relación transitoria. Por su parte, los ladinos refuerzan las calidades efímeras e impersonales de la interacción con los indígenas por sus sentimientos de superioridad étnica y sus demandas de respeto y deferencia. Al mismo tiempo, esperan que los indígenas sean francos y abiertos para responder a sus preguntas, con la idea de que los indígenas son "niños de naturaleza pacífica", sin argucias ni malicia. Esta clase de interacción entre ladino e indígena en Cantel es un ejemplo en pequeña escala de un mecanismo para mantener separadas sus culturas y el cual parece ser parte de un mecanismo que se adapta a otras comunidades indígenas (Tax 1941; Gillin 1945).

Si la fábrica de algodón no ha cambiado la relación de Cantel con otras comunidades locales, si no ha modificado los canales de aculturación con respecto a la totalidad de la sociedad guatemalteca, ni tampoco ha afectado la estructura de las relaciones étnicas, ha producido, en cambio, el resultado directo de establecer nuevas áreas de actividad a las cuales la sociedad y la cultura canteleñas han tenido que hacer frente. Las tensiones directas implicadas en la operación de la fábrica han sido las siguientes:

1. Modificación del patrón de asentamiento al proporcionar un poblado compacto secundario.

2. Presentar una oportunidad económica alternativa que entraña papeles ocupacionales que requieren una conducta distinta.

3. Empleo de canteleños que tradicionalmente no tenían ingresos.

4. Aumento de los ingresos netos del municipio.

5. Congregación de los trabajadores bajo una dirección central en una unidad de producción de escala mucho mayor, en continua operación y de organización más compleja que ninguna otra que jamás haya existido en Cantel.

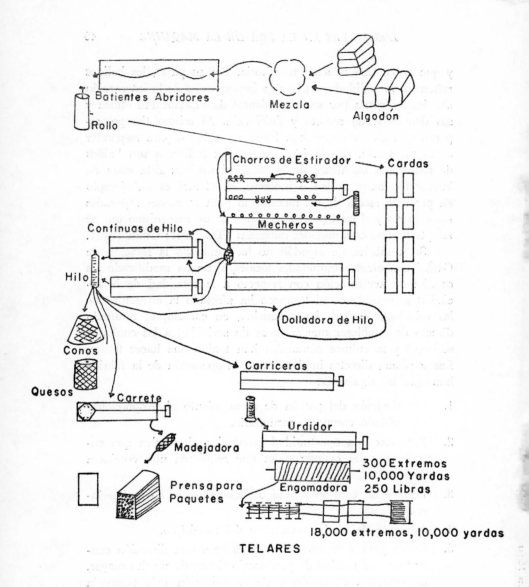

Figura 6. Diagrama del procesamiento en la fábrica

Al buscar las fuentes de cambio en el surgimiento de la fábrica, y las respuestas de modificación, innovación, conflicto o acomodación en la conducta de los canteleños, es principalmente a estos cinco factores a los que debe volverse la vista. Son éstas las tensiones sociales generadas por la fábrica. La forma como la gente las ha interpretado y la respuesta que les ha dado por medio de sus agrupaciones sociales y los usos culturales así como los problemas creados por las mismas establecen la clase y grado de cambio social y psicológico —o la falta de ellos— que la operación de la fábrica ha producido en las costumbres y personalidades de los canteleños.

CAPITULO IV

TRABAJO FABRIL: UTILIDADES ECONOMICAS NETAS Y CARACTER OCUPACIONAL

MANTENIMIENTO DE UN NIVEL DE VIDA HABITUAL

Los canteleños tienen una noción definida de un estilo de vida, visto principalmente en detalles relativos al consumo y bienestar físico, y llamado por ellos "suficiente" o "acostumbrado" o "cómodo". La base del nivel de vida es generalmente expresada en términos de la riqueza de una familia más bien que de sus ingresos. Se dice una y otra vez, que 20 cuerdas de buena tierra, plana y bien irrigada es lo que una familia necesita; y esto último significa que un hombre, una mujer y tres niños pueden cultivar los productos básicos —maíz, frijol y calabaza— que consumen y tener aun suficientes excedentes para vender en el mercado de modo que puedan comprar las otras cosas que necesitan.

Puesto que una cuerda equivale a .108 acres, una familia en Cantel debe controlar 2.16 acres de tierra para vivir al nivel que según su costumbre y aspiraciones se juzga adecuado. Traducido a su equivalente en efectivo, el rendimiento de 2.16 acres es más de Q300 y aparentemente varía mucho, llegando hasta Q360 en el mejor de los casos. Con base en las cosechas de 1953 y 1954 comprobé el rendimiento por cuerda de los labriegos y seleccioné dos de ellos, de destreza media y recursos tecnológicos ordinarios, para establecer cifras sobre la producción de sus 20 cuerdas de tierra. Usando un término medio basado en la fluctuación estacional de los precios de mercado, convertí la producción en ingresos conforme la siguiente tabla:

INGRESO ANUAL DE 20 CUERDAS DE TIERRA

Artículo	Producción		Precio anual Fluctuación por libra	Ingresos Estimación mínima	Estimación máxima
Maíz	4,000 - 5,000	lbs.	.04 - .05½	Q 184.00	Q 233.00
Frijol negro	200 - 300	"	.10	" 20.00	" 30.00
Frijol tierno	200 - 300	"	.07	" 14.00	" 21.00
Calabazas	100 - 160		.06 - .10	" 8.00	" 10.00
Huevos	440		.05½-.06½	" 26.40	" 26.40
Leña	40 tareas		1.00	" 40.00	" 40.00
Otros (fruta, güisquiles, hierbas)				" 25.00	
			Totales	Q 317.40	Q 360.40

Cuando un ingreso anual de Q300 es confrontado con presupuestos familiares de personas que se han definido como acomodadas en la comunidad, resalta el hecho de que los canteleños calculan con bastante acierto. Una familia de dos adultos y tres niños puede alcanzar con facilidad su nivel de vida, definido tradicionalmente como aquel en que hay suficiente comida en cuanto a cantidad, calidad y variedad, gastos religiosos, gastos para fumar y beber, vestidos que no sean andrajosos, y otros.

Un censo de tenencia de la tierra en Estancia muestra que la mayoría de los canteleños no posee ni 20 cuerdas de tierra; el promedio oscila entre 8 y 9, pero lo común es entre 0 y 4 cuerdas.

OCUPACION DE LOS PROPIETARIOS DE TIERRA

Tierra propia en cuerdas	Trabajador de la fábrica	Labriego	Especialista	Oficios domésticos	Total
Ninguna	12	45	14	1	72
1 - 4	9	33	12	7	61
5 - 9	2	10	1	4	17
10 - 14	—	11	5	3	19
15 - 19	1	11	4	—	16
20 - 29	—	13	5	—	18
30 - 39	—	7	2	—	9
40 - 49	1	6	—	1	8
50 - 59	—	5	—	—	5
60 - 69	—	2	1	—	3
70 - 79	—	2	—	—	2
80 - 89	—	1	—	—	1
100 - 125	—	1	—	—	1
126 - 150	—	1	—	—	1
151 - 175	—	1	—	—	1
Totales	25	149	44	16	234

Del cuadro anterior se desprende que la tenencia de 10
cuerdas de tierra es el punto en que el canteleño se decide
entre el trabajo de la fábrica y el trabajo en el campo. El
primero es preferido sólo si los propietarios de tierra poseen
menos de 10 cuerdas.

Muchos complementan sus ingresos como mozos asalariados de otros canteleños, dedicándose a cortar árboles y hacer
tablas en los bosques de la tierra comunal, a vender leña,
criar pollos y vender huevos, o bien a vender la lana de sus
ovejas. Algunas mujeres bordan blusas por encargo o tienen
otros pequeños ingresos que les producen sus especialidades.
Sin embargo las principales familias de Cantel no tienen los
ingresos necesarios para alcanzar un nivel de vida deseable.
Las personas más viejas me dijeron que 20 cuerdas se consideraba "siempre" como lo necesario para vivir en forma adecuada. No puedo decir nada en cuanto a esto, ya que los
niveles de vida, tanto el real como el ideal, pueden haber su-
bido desde que la fábrica fue instalada. Pero parece, en realidad,
que el funcionamiento normal de la organización económica de
Cantel satisfaría solamente en forma mala o inadecuada el
conjunto de deseos y necesidades tradicionales. Ellos todavía
son gente pobre, y el espectro de la pobreza degradante nunca
está muy remoto o fuera de su preocupación.

Cuando se pregunta, entonces, por qué los canteleños fueron a trabajar a la fábrica, "la pobreza" es la primera respuesta. En más de cincuenta entrevistas con personas empleadas
en la fábrica, la razón de la venida a ella fue expresada en
términos de necesidad económica: "por necesidad", "ganar mi
tamal", "hacer la lucha", éstas son las formas que ellos usa-
ron; "yo era pobre y la fábrica ofrecía dinero". El cuadro
sobre tenencia de la tierra muestra que entre las personas que
trabajan en la fábrica, sólo dos de Estancia poseen más de
10 cuerdas. Y puesto que los salarios de la fábrica por lo

general sobrepasan en más del doble a los salarios de los jornaleros, aquéllos representaban una diferencia económica real y significativa.

El dinero es importante en Cantel. Todos se dedican a comprar y vender las cosas necesarias a la vida. El dinero es necesario para comprar candelas para el culto religioso que diariamente se guarda en el hogar, para pagar las misas en las crisis de la vida, para asumir las funciones religiosas de las que emana el prestigio, para comprar los vestidos que cubren el cuerpo, para pagarse gustos tales como tabaco y licor, para obtener la redacción de documentos legales, y para pagar los utensilios de la casa o los implementos del campo. En un millar de formas el conqué de la vida y el camino para alcanzar posición y prestigio están ligados al dinero y a la riqueza. Así, el diferencial económico real del ingreso proveniente de la fábrica es fácilmente transformado en artículos aceptables de significación cultural a través de un reconocido canal de transacciones pecuniarias comunes a todos los miembros de la comunidad.

Una diferencia real entre el ingreso de los trabajadores de la fábrica y los trabajadores agrícolas, unida a la brecha que existe entre los aspectos ideales y reales del nivel de vida, puede considerarse como lo que induce a buscar empleo en la fábrica. Muchos de los trabajadores de la fábrica eran mujeres y hombres jóvenes que, fuera de ella, no podían obtener ingresos. Para esta clase de trabajadores la fábrica representa una completa ventaja económica, no meramente una ventaja relativa en términos de posibilidades alternas de ingreso.

El salario de la fábrica tiene algunas otras características que lo hacen atractivo en comparación con el ingreso por trabajo agrícola: tiene regularidad y continuidad. El rédito agrícola, tanto para trabajadores asalariados como para propietarios, tiene sus alzas y bajas correspondientes al ciclo agrícola de cosecha, siembra y venta. El maíz es sembrado en abril y cosechado en noviembre. El trigo es sembrado en mayo y cosechado en noviembre y diciembre. No hay ningún medio local de almacenar el trigo; por tanto debe ser vendido durante el mes de enero después de que ha sido trillado por el antiguo método de caballos que giran en círculo. El maíz es almacenado, en mazorca, en trojes de madera techadas. La mayor parte del maíz que encuentra su camino hacia el mercado es vendido durante los tres primeros meses después de la cosecha. Los salarios más altos en la agricultura, devengados por los que deben trabajar en los campos de otros, son obtenidos durante los períodos de máximo trabajo de siembra y cosecha. En abril, mayo, junio, octubre, noviembre y diciembre todos los que busquen trabajo asalariado en el campo pueden encontrarlo. En septiembre hay trabajo para la mayoría en la preparación de los campos y en enero hay trabajo en el desmonte de los campos. El trabajo agrícola es raro durante el resto del año. Las tareas de escarda y de calza dos veces durante la temporada de crecimiento, no llegan a ocupar al máximo la mano de obra potencial de que se dispone. Si un trabajador agrícola desea dinero fuera de esta temporada, debe ocuparse en los oficios suplementarios de barbero, sastre, albañil, ladrillero, aserrador de madera o vendedor de leña. El máximum de ingresos, a menudo insuficiente, es alcanzado por los agricultores y laborantes del campo de acuerdo con el ritmo de la agricultura, mientras que la necesidad de dinero es constante. Sin embargo, el ingreso de los trabajadores de la fábrica está más de acuerdo con su urgencia de dinero, y la regularidad del ingreso con frecuencia reduce la necesidad de recurrir al préstamo. Las tasas locales de interés son del 20 ó 25% al mes, ya que los indígenas no se aprovechan de los créditos bancarios y posiblemente no les serían otorgados si los solicitaran.

Las vicisitudes de la agricultura son grandes por lo general, dada la tecnología agrícola canteleña —una tecnología basada en el machete, cuyo uso se extiende a todas las faenas agrícolas y que consiste en un largo hierro para excavar el suelo; una hoz de mango corto o especie de guadaña para cortar trigo; el conocimiento de ciertas variedades de semillas y la estimación de las cualidades de éstas en relación con la clase de tierra; y la rutina imperfecta e irregular de fertilización en la que se utiliza sólo humus, desechos animales y cenizas. El rendimiento de una cuerda varía de uno a tres quintales de maíz. La producción anual en la misma tierra depende del tiempo, que es variable especialmente en cuanto a la fuerza y destructividad del "temporal" o borrasca con que culmina la estación lluviosa en las postrimerías de septiembre o comienzos de octubre, precisamente antes de la cosecha. Algunas veces, como en 1949, las cosechas de trigo y de maíz (y el frijol y calabazas sembrados entre los surcos de maíz y llamados en conjunto la *milpa*) son afectadas drásticamente por la borrasca. Aunque no se recuerdan años de hambre en Cantel, hay años de carestía y años de abundancia.

La regularidad y continuidad de los ingresos en la fábrica son estimadas porque los canteleños gustan de poder decir que están libres de deudas, que son independientes y que pueden comprar lo que necesitan cuando lo necesitan. Los trabajadores de la fábrica obtienen lo que ellos llaman el "centavo más seguro". La fábrica ha trabajado sin mayores obstáculos desde el final de la depresión, y es así como el centavo más seguro les llega año tras año y semana tras semana.

Además del pago de salarios, la fábrica ofrece servicios sociales. Se proporciona alojamiento gratuito en 125 casas separadas; éstas no son grandes, ni tienen patios como todas las demás casas, inclusive las pobres, pero algunas están equipadas con electricidad, de mayor voltaje que la del pueblo, el único otro núcleo poblado que puede jactarse de poseer energía eléctrica para unos pocos hogares privados. La importancia social de ocupar o poseer una casa no puede ser sobrestimada en Cantel, y esta práctica permite a muchos levantar casas independientes que, de otra manera, serían económicamente incapaces de obtener.

La fábrica también mantiene su propia escuela, su clínica y su médico. La escuela tiene una jornada de 6 horas en contraste con la de la escuela nacional que es de 4 horas. Esta prolongación de la jornada escolar se considera ventajosa para la adquisición de conocimientos. En la escuela de la fábrica los profesores invierten proporcionalmente más tiempo en la enseñanza de lectura, escritura y aritmética, que en artes prácticas. La escuela tiene mejores materiales para enseñar oficios tales como la carpintería. Los padres que ya se convencieron que el conocimiento del idioma nacional, Español (usualmente la segunda lengua, aprendida en la escuela), y la cultura son útiles como una herramienta o como medio de movilidad personal o social, como lo son los oficios, reconocen la supuesta ventaja de la jornada escolar más larga.

Los servicios médicos provistos por la fábrica consisten en una clínica donde se proporcionan remedios simples y se dan consultas y prescripciones médicas. El doctor atiende diariamente la clínica a las cinco de la tarde y la enfermera está siempre disponible. A los ojos de los canteleños es importante el servicio prenatal que ofrece la enfermera a las esposas de los trabajadores de la fábrica y a las mujeres que trabajan en la misma. Actualmente los partos todavía son en gran parte atendidos por las comadronas y sólo 40 niños fueron dados a luz en la clínica en 1953. Esta sociedad que no conoce el control de la natalidad estima los cuidados y consejos del doctor y de la enfermera como una medida de seguridad para un fácil parto. El examen en la clínica es superficial, los remedios son paliativos y los canteleños saben que ellos no reciben la clase de tratamiento médico que podrían recibir si estuvieran pagando por ello en la oficina privada de un médico. El doctor y la clínica son un recurso contra enfermedades menores, pero aun así tiene algún valor este servicio, dada la incapacidad económica de los canteleños para solicitar esta clase de servicios de un doctor.

Hasta 1956, año en que se interrumpió la práctica, los propietarios de la fábrica vendían a cada trabajador una cantidad de maíz a un precio menor que el del mercado. Cada trabajador de la fábrica que así lo deseaba, podía comprar 12 libras de maíz a la semana al precio fijo de 3½ ¢ la libra. En 1954 el precio promedio del maíz era de 4½ ¢ la libra, oscilando entre 4 y 6 ¢. Puesto que la noción tradicional de la seguridad en Cantel se relaciona con la existencia de maíz en la troje, o sea alimento almacenado para el resto del año más bien que dinero en el banco, pensé que esta venta de maíz proporcionaba al trabajo en la fábrica una deseable dimensión. Pero con base en las observaciones de 1956, no encontré ningún sentimiento de privación en los trabajadores cuando se trató de la ración de maíz. En apariencia la significación económica de la fábrica radica principalmente en el nivel del salario diario y no en los beneficios marginales.

A cerca del 30 ó 40 por ciento de sus trabajadores, la fábrica arrienda algo más de dos cuerdas de tierra, lo cual puede producirles un incremento del ingreso en efectivo y a la vez dar a algunos de los carentes de tierra la sensación de propiedad de la tierra, lo cual tiene un alto valor en esta comunidad campesina.

El trabajo en la fábrica permite a un trabajador la posibilidad de disfrutar del sistema guatemalteco de seguridad social, que es una especie de seguro por accidentes y enfermedad más bien que un plan de protección por vejez o jubilación.

Una parte del salario de cada trabajador y una contribución del patrono son pagadas al gobierno nacional, lo cual permite a los trabajadores de la fábrica disponer de servicio gratuito de ambulancia y atención hospitalaria por largos períodos. No hay servicio de salud para quienes no son trabajadores de la fábrica en Cantel.

Tales son las dimensiones económicas del poder de atracción de la fábrica: una clara y significativa diferencia en el ingreso, servicios médicos y sociales, y la posibilidad de casa y tierra provistas por la fábrica. Estos incentivos tienen gran importancia en un contexto de pobreza rural e inadecuados recursos de tierra.

ADAPTACION A UN NUEVO PAPEL OCUPACIONAL

Entre el reclutamiento, que se realiza con la concurrencia de los factores enumerados, y el compromiso, que es la integración personal al ciclo del trabajo industrial, se encuentra el ajuste o adaptación a un nuevo papel ocupacional. El canteleño en la fábrica se encuentra trabajando bajo condiciones que no tienen paralelo en su experiencia social o vital. A menudo llega analfabeto a la fábrica (en los pasados cuatro o cinco años sólo se habían contratado alfabetos), sin experiencia previa con maquinaria de ninguna clase —ni los adminículos del ama de casa ni los motores y herramientas de la civilización occidental. El trabajador a su ingreso está acostumbrado a pequeños grupos donde el trabajo es realizado por hombres que hacen una variedad de cosas, y no a la división de tareas que requiere coordinación y equipo de trabajo. El trabajador está acostumbrado a seguir su propio ritmo de rendimiento físico, no a ajustarse a un ritmo de máquina;

está acostumbrado a trabajar sin dirección o supervisión; trabaja con familiares o conocidos, no con extraños, y escoge entre ellos con quién compartir su esfuerzo. Si él está cansado o enfermo, no tiene que ir a su milpa; en cambio la fábrica tiene una hora fija para presentarse y períodos establecidos de trabajo continuo. En el trabajo agrícola, el rendimiento individual es juzgado por el mismo agricultor ante los frutos que se cosechan; en la fábrica, el rendimiento es medido por los cánones impersonales de tantas pulgadas de tela y no hay producto que sea atribuido al individuo.

Esta falta de continuidad entre los papeles ocupacionales de los trabajadores del campo y de la fábrica, determina el problema de la acomodación de los individuos al trabajo de la fábrica.

APRENDIZAJE DE NUEVOS HABITOS DE TRABAJO

Los nuevos trabajadores son adiestrados en la fábrica por otros canteleños, con procedimientos similares a los que se usan para el aprendizaje en el hogar y durante la infancia. Un hombre o una mujer es contratado como asistente en el manejo de alguna máquina, ya sea una máquina tejedora o hiladora. Por cinco o seis semanas el trabajador recién contratado desempeña tareas menores tales como llevar material para las máquinas o recoger de ellas géneros acabados, pero la mayor parte del tiempo lo pasa observando las operaciones de la persona que maneja la máquina. Yo he pasado horas observando cómo un nuevo trabajador aprende su oficio. En un caso una muchacha estaba aprendiendo a atender un telar; ella tomaba su lugar al lado del operador del telar en la mañana mientras le pasaba los conos de hilo de algodón teñido; parada cerca de la máquina, observaba al operador en todos los movimientos del manejo del telar; no hacía preguntas

ni recibía consejos. Cuando la máquina se atascaba o paraba,
ella observaba cuidadosamente los movimientos con los que
el operador conseguía echarla a andar de nuevo. Cuando un
mantel estaba tejido ella lo sacaba del telar. Esto constituyó
su diaria rutina por casi seis semanas y al final de este tiempo
manifestó que estaba lista para manejar un telar. Su capataz
me dijo que en ningún momento de su aprendizaje y período
de práctica ella había tocado una máquina o practicado la
operación de la misma. Cuando dijo que estaba lista, se le
entregó la máquina que había estado observando por seis semanas y la operó, no tan rápidamente como la muchacha que
acababa de dejarla, pero sí con destreza y seguridad. ¿Qué
ocurrió en el período de entrenamiento? La aprendiza estaba
aplicando el método de aprendizaje que se le había enseñado
en Cantel: ella observa y mentalmente repite el conjunto de
operaciones hasta que se siente capaz de actuar. No ejercita
sus manos hasta que se considera competente, porque hacer
chapucerías y cometer errores es causa de vergüenza ante todos
los demás. La aprendiza no hace preguntas porque eso podría
molestar a la persona que le está enseñando y hasta podría
hacer pensar que es estúpida. Después de suficiente observación
la aprendiza llega al punto en que se siente capaz de ejecutar
las necesarias operaciones. He observado este método de aprendizaje entre los tejedores domésticos con sus jóvenes apren-
dices, entre los jóvenes que aprenden a conducir automóviles,
y aun en el caso de un hombre que estaba aprendiendo a
cantar pero que nunca emitió una nota sino hasta después
de una sesión de cinco o seis horas de sólo escuchar. En esta
forma el recluta es inducido a su nuevo oficio y a su nueva
habilidad fácilmente y de acuerdo a patrones usuales de entrenamiento.

No hay duda que este método de aprendizaje tiene serias
limitaciones y puede no dar resultado cuando el aprendizaje

es simbólico o de operaciones puramente mentales, pero sí es efectivo al tratarse de las tareas simples del manejo de máquinas de tejido de algodón. La gerencia informa que el límite máximo de alguien que está aprendiendo a manejar un telar o una máquina hiladora, es de casi seis semanas. Se me ha dicho que la operación de los telares Jacquard más complejos requiere un aprendizaje más largo, y que la fábrica busca entre su personal a los elementos más listos, para entrenarlos como operadores. Empero, para otras operaciones el campesino analfabeto o el ama de casa, extraños al maquinismo, son convertidos en el término de seis semanas en obreros de la fábrica razonablemente eficientes.

El proceso de aprendizaje es ligeramente modificado según si un canteleño se adiestra para ser caporal, trabajador en la sala de máquinas, o ayudante en la planta eléctrica. En este caso el cuerpo técnico da instrucciones verbales y explica los principios y operación de las máquinas o instrumentos. El cuerpo técnico se queja de que los canteleños no practican y a menudo cometen graves errores cuando piensan que pueden operar una de las máquinas más complicadas. En los trabajos más especializados la queja consiste en que los canteleños son a menudo "indiferentes y faltos de entusiasmo" cuando están aprendiendo. Esta queja del cuerpo de técnicos extranjeros capta el deseo de los canteleños de aparentar calma y dignidad aun en el caso de un neófito que pueda estar ansioso por aprender nuevas habilidades.

El entrenamiento en la fábrica, donde los resultados son rápidamente alcanzados, contrasta con la situación del aprendizaje en la escuela. Los profesores dicen que es difícil realizar hazañas, y los canteleños dicen que demasiado trabajo escolar o el mucho pensar, calienta la cabeza y provoca enfermedades menores.

TRABAJO FABRIL Y TRABAJO AGRICOLA
COMPARADOS

Si entrar a la fábrica es cosa fácil, trabajar en ella no es mucho más difícil. Entrar a trabajar cada mañana a una hora fija no es molesto para el canteleño. La hora normal de levantarse es entre las cuatro y las cinco de la mañana, y esto permite al trabajador marcar su entrada a las seis a.m. sin cambiar sus hábitos. Hubo un tiempo en que el llegar tarde era mal crónico. El gerente de la fábrica estableció la regla de cerrar las puertas de la misma dos minutos después de que sonara el pito de la mañana y así, aquellos que llegaban tarde perdían un día de pago y no una hora o dos. La rebaja en el salario unida a la vergüenza de ser dejado afuera y tener que regresar a la casa, pareció ser suficiente para terminar con el retraso en la llegada. La puntualidad rigurosa, no relacionada con la rutina del trabajo fuera de la fábrica, aparentemente no causa tanto sacrificio personal como la privación de un día de salario.

El trabajo de la fábrica no impone una diferente división del día, con respecto a las otras ocupaciones que existen en Cantel. Las comidas se toman a la misma hora, y las prácticas de descanso no son violadas. Un agricultor trabaja todos los días excepto los domingos, ciertos días festivos, Semana Santa y la feria titular. Así labora también el trabajador de la fábrica, con la diferencia de que éste trabaja varios días festivos en que el labriego posiblemente descansa. Después de un día de trabajo se acostumbra dormir. Las visitas y los juegos durante la semana son virtualmente desacostumbrados y mal vistos en el plano moral. Ninguno de mis informantes de la fábrica se quejó sobre la pérdida de los días festivos, los cuales resultan más que compensados por la tarde libre del sábado según el horario de la fábrica.

La única ruptura seria de la rutina diaria puede haber ocurrido en el caso de las madres lactantes, pero la fábrica les permite media hora en la mañana y en la tarde para alimentar a los infantes que son llevados allí por muchachas sirvientas o familiares. Las cuatro horas libres durante el día, en cualquiera de los turnos de trabajo, permiten al trabajador atender las tareas necesarias de su casa. El trabajo en la fábrica, por tanto, no afecta a la participación social o a la distribución habitual del tiempo disponible después del ciclo de labores.

Una vez en el interior de la fábrica, se comienza el esfuerzo ininterrumpido del trabajo del día. Casi sin excepción los canteleños consideran el trabajo de la fábrica como "más suave", es decir más fácil o ligero que las labores del campo, donde ellos deben trabajar bajo un sol ardiente, expuestos a los frecuentes vientos huracanados y a menudo a la fría lluvia. La fábrica, dicen los trabajadores, es seca, no es demasiado caliente ni fría, y allí no hace viento. Después de las acostumbradas ocho horas diarias de manejar el pesado azadón, recolectar el maíz, o transportar quintales del grano sobre la espalda, a mecapal, el campesino se muestra cansado. El trabajo agrícola es penoso y duro y en las épocas en que se prepara la tierra para la siembra, o en la cosecha y acarreo, el trabajador se cansa tanto al final de un día de labores que es común oirle decir "me duele la espalda". El trabajo duro, el sudor en la frente y los callos en las manos son valorados en la cultura de Cantel, y un hombre crece esperando trabajar duro y terminar cada día gastado y rendido. El canteleño dice que es malo estar ocioso; que es inmoral ganar sin trabajar; que es malo quejarse porque uno debe sacrificarse para comer. Por el contrario, uno debiera "dar gracias a Dios" por tener fuerza y salud para trabajar, aun en la fábrica.

EL TRABAJO FEMENINO DENTRO Y
FUERA DE LA CASA

Es tal la carga de tareas del ama de casa en comparación a la de la obrera fabril, que ni siquiera repone una mínima parte de su desgaste físico. El ama de casa se levanta a las 4.30 ó 5 a.m., y acarrea agua desde la pila más próxima en un cántaro llevado en equilibrio sobre su cabeza. Prepara la comida de la mañana moliendo el *nixtamal* (granos de maíz cocidos con agua de cal), tres veces si usa el molino eléctrico y cinco veces si no lo hace así. Muele en posición arrodillada, empujando la "mano de moler" o rodillo de piedra sobre la piedra de moler con un rápido movimiento de atrás hacia adelante. Cocina en una pieza llena de humo, sobre un fuego de leña circundado por tres piedras —*tenamastes*— que soportan las ollas de barro o metal, las jarras y otros utensilios. Vigila constantemente, agita los líquidos de vez en cuando y da vuelta a las tortillas que se cuecen sobre el comal. Casi siempre tiene un pequeño niño sobre su espalda mientras hace sus quehaceres; durante todo el día repite estos quehaceres para preparar las comidas. También lava los platos y sirve a su marido y a los niños de más edad a la hora de las comidas. Lava la ropa, de la cual lleva una pesada carga hacia el río o hacia el lavadero público, y con la ropa mojada sobre su cabeza regresa a su patio para secarla. Remienda la ropa, compra y vende en el mercado, arregla el patio y limpia la casa. La típica ama de casa está siempre ocupada y siempre urgida por el tiempo. Las mujeres de Cantel caminan rápidamente en las calles y la holgazanería en ellas es mal vista. Una mujer haragana no es "cumplida" —no desempeña sus obligaciones de ama de casa de manera competente. La mujer de Cantel no es dada a quejarse de la carga del trabajo del hogar y de la vida doméstica, pero a ellas les gusta que se sepa que ésta es una labor de tiempo completo —que quien la hace no tiene tiempo de pararse a chismear en las calles, ni de hacer visitas, ni de permanecer ociosa. El esfuerzo físico que demanda el trabajo doméstico —que no ha sido aliviado como en el hogar norteamericano bien equipado— se equipara al menos al trabajo de la fábrica, si es que no lo sobrepasa. Las amas de casa no abandonan todas sus obligaciones hogareñas cuando se emplean en la fábrica, pero por lo general toman una muchacha soltera como criada, a tiempo completo si la trabajadora de la fábrica tiene niños pequeños y para tareas ocasionales si no los tiene; pueden delegar algunas de las labores domésticas en otra mujer si son parte de una familia extendida y sus ingresos compensan esa delegación de tareas domésticas.

Puesto que se espera que toda mujer sea ante todo una ama de casa, el papel de empleada no ha tomado mayor auge entre las indígenas. Pocas mujeres con hogar primario bajo su cuidado exclusivo trabajan en la fábrica. Sus esposos hacen objeciones en el plano de la conducta sexual, y la mayor parte de las mujeres participa de la creencia de que los hijos de las empleadas de la fábrica mueren con más frecuencia que los de las mujeres que dedican todo su tiempo al hogar.

RITMO Y RUTINA DEL TRABAJO

El ritmo de las máquinas requiere constante atención y cuidado, pero esto no parece ser el principal factor para el ajuste al trabajo industrial. El canteleño no aceptaría cuidar o manejar más máquinas, ni operarlas a mayor velocidad de la que puede sin molestarse mucho, a pesar del incentivo del trabajo por tarea. En comparación con los obreros fabriles norteamericanos, según informes de los gerentes de la fábrica, el trabajador de Cantel es más lento y maneja menos máquinas. No sé si esto se debe al trabajador, al tiempo que la máquina lleva de uso o al estado de ésta con relación al trabajo. Pero la marcha de las máquinas no parece ser agotadora y los canteleños están de acuerdo en esto. Una postura de pie no acostumbrada, que dura todo el día, o el uso del mismo grupo de músculos el día entero no se considera mucho esfuerzo. Los cambios menores en el ritmo corporal del trabajo o en la constante atención requerida por la máquina se adoptan fácilmente por los canteleños y no pude sonsacar ninguna queja sobre este aspecto del trabajo de la fábrica. Con base en mis observaciones, parece que los cambios en los hábitos motores y las tensiones derivadas del trabajo no requieren mucha reorientación psicológica ni causan crisis fisiológicas ocasionales. Para la mayoría los cambios en las prácticas del trabajo no constituyen un salto brusco, sino, cuando mucho, sólo una pequeña dificultad que en un año o algo así ni siquiera es fácil recordar, y el preguntar acerca del problema generalmente provoca miradas vagas o pausas largas mientras se escudriña la memoria acerca de "dificultades" en adaptar el ritmo del cuerpo al ritmo de la máquina. Aquellos que no se ajustaron a este ritmo han dejado la fábrica, y de aquellos con quienes he hablado ninguno que esté ahora ocupado en actividades económicas salió por lo difícil o extraño del trabajo. Sólo un hombre, cuyos pies descalzos sobre el húmedo piso de concreto del cuarto de tintura le provocaban molestias, se quejó ante mí diciendo que a él le pareció el trabajo de la fábrica más desagradable que el trabajo agrícola.

SUPERVISION Y DISCIPLINA

El hecho de trabajar en coordinación o bajo órdenes no parece hacer menos deseable el trabajo de la fábrica. El trabajo en las máquinas es coordinado por un caporal que tiene a su cargo una fila de máquinas. Es un canteleño; él y el trabajador a quien dirige se comprenden recíprocamente. El caporal nunca alza la voz cuando da órdenes, y raras veces le dice a un hombre lo que debe hacer. Sólo ocasionalmente grita "apúrate" cuando alguien se retrasa en atender su máquina. Si el trabajador labora por tarea, es más probable que llame al caporal para que le ajuste la máquina si está atascada o retrasada. La autoridad del caporal está limitada por su conocimiento de cómo ha de ser ejercida; esto quiere decir que él no ordena sino más bien sugiere lo que debe hacerse. Los trabajadores rara vez se quejan de que han sido mal tratados o que un caporal no es razonable en sus exigencias.

Antes de la organización del sindicato, la rutina de la supervisión y disciplina estaba menos de acuerdo con el gusto y costumbre de Cantel. El ingeniero extranjero no atado por conceptos convencionales sino por el propio ejercicio de autoridad, solía circular por el cuarto y dar una manotada en la cabeza a los rezagados. Los propietarios de la fábrica en sus visitas periódicas hacían lo mismo. La fuerza física y el lenguaje abusivo eran usados por el dueño de la fábrica y el cuerpo de técnicos para lograr que las cosas fueran hechas en la forma que ellos querían. Los trabajadores siempre objetaron este tratamiento ya que el ser reprendido públicamente era escandaloso y vergonzoso y el ser golpeado como un medio de corrección lo pone a uno en la categoría de niño. No puedo juzgar hasta dónde esta disciplina fue un gran factor en el cambio de personal antes del sindicato; no me fue dado como una razón en ninguno de los casos que tengo registrados. El sindicato, sin embargo, desaprobó el castigo físico de cualquier clase. El ingeniero británico golpeó a un trabajador que había arruinado una máquina cara, y el sindicato presentó una demanda contra él; se le requirió que diera una excusa pública al trabajador en presencia del gerente. Esto afirmó el principio, que operaba desde finales de la década de 1940, de que la disciplina era tarea del caporal. Los caporales podían usar cualquier medio, excepto el insulto y el castigo corporal.

Hay escasa diferencia de posición y ningún diferencial de sentimientos entre el caporal y el trabajador en la línea de máquinas que aquél tiene a su cargo. Ambos son trabajadores, distintos del personal de oficina y de los intereses administrativos. En el ejercicio de su autoridad, que depende del imperativo de mantener las máquinas operando y coordinar el trabajo para que el flujo de materiales no ocasione retrasos en las operaciones, el caporal recibe órdenes del equipo técnico y las pasa a los trabajadores según las necesidades impersonales del trabajo. Pero imparte las órdenes de acuerdo con las nociones que prevalecen en Cantel acerca de cómo han de ser tratados los hombres cuando trabajan entre sí. El caporal es un trabajador que obtiene una paga un poco más alta; no es parte de la administración ni está necesariamente en favor de ésta. Fuera de las paredes de la fábrica el prestigio de los capataces no es mayor que el de los trabajadores comunes y corrientes. Dentro de la fábrica, el caporal no hace ostentación de su autoridad, tampoco da instrucciones y órdenes abundantes o innecesarias, ni su vestido ni su lenguaje lo diferencian de un operador.

La observancia estricta de la definición cultural de la autoridad y su legítimo ejercicio por el caporal, dan a la supervisión y disciplina el mismo tono que la organización de grupos más modestos de trabajo en las tareas agrícolas. La virtual coincidencia de la posición del caporal y el trabajador corriente, aísla a la gerencia de éstos y mantiene a los propietarios en la ignorancia de por qué un grupo de máquinas produce solamente una cantidad dada cuando según ellos debería estar produciendo más. El grado de celeridad de una fila de máquinas es fijado por los trabajadores de más experiencia, y los otros, incluyendo el caporal, lo aceptan como el correcto.

Si la relación entre el caporal y los trabajadores permite aislar al gerente de éstos, por paradoja estimula la relación paternal entre el trabajador y su patrono, tan común en las empresas de los países latinos. Puesto que el caporal no es un intermediario, el trabajador expresa sus quejas directamente al patrono —el propietario o el empleado de oficina. Antes de la sindicalización y aun después, las quejas más pequeñas eran llevadas directamente al patrono. En nuestro concepto de éste como director de política comercial o como empresario, nunca podría interesarse en el arreglo de asuntos de tan poca monta, pero en este caso el patrono recogía información y resolvía los problemas de modo directo. Esta manera de conducirse en lo que respecta a las quejas y reclamaciones concuerda, en la vida de la comunidad, con la forma rápida y personal en que el alcalde despacha las querellas civiles.

EL PAPEL DEL SINDICATO

El sindicato es factor que contribuye eficazmente a hacer atractiva la fábrica a los canteleños. El surgimiento de la organización de los trabajadores se relata en una sección posterior. El sindicato dio consistencia a la relación entre el trabajador y su trabajo por las siguientes razones obvias: le dio un provecho económico mayor; le permitió ventilar rápida y directamente las quejas; le dio cierto control sobre el trabajo y las condiciones del mismo; envolvió al trabajador en un conjunto de relaciones sociales basadas en la asociación voluntaria; le dio algunas lecciones elementales sobre las tácticas de presión de grupo y organización efectiva; permitió a los trabajadores tener nexos más estrechos con la nación por medio de la red que constituye el movimiento nacional de trabajadores.

El sindicato estaba orientado hacia la comunidad y participó en muchos de los proyectos de ésta reforzando la integración de los trabajadores a la misma. Hago hincapié en la habilidad del sindicato para ayudar a la integración de los trabajadores a la fábrica, no sólo por lo que atañe a salarios y conquistas laborales, sino porque esta estimación del papel del sindicato se me hizo evidente a fines de 1954. Cuando el sindicato entró en un período temporal de inacción inmediatamente después de la caída del gobierno de Arbenz (todos los grupos sociales conectados en alguna forma con el gobierno nacional tuvieron un período similar de suspensión hasta que cristalizó el carácter del régimen de Castillo Armas), 32 hombres abandonaron su trabajo en una semana. Este fue el mayor cambio de personal registrado en aquella década y se originó de la posibilidad, que nunca llegó a materializarse, de que el sindicato fuera abolido de manera total y permanente.

La ventaja económica neta del trabajo de la fábrica y las características del papel ocupacional, son factores importantes en el reclutamiento del personal de la fábrica, y, durante la última década, en su firme integración al trabajo industrial remunerado como un medio de vida. En otra parte (Nash 1956) he intentado hacer generalizaciones sobre el surgimiento de una clase trabajadora integrada, con base en los resultados satisfactorios de la experiencia de Cantel.

Si el papel económico alternativo representado por la fábrica no necesitó cambios de conducta que entraran en conflicto con los patrones acostumbrados de trabajo, ni modificó, por sí mismo, otros modos de conducta, entonces debemos referirnos a los otros factores, vinculados antes con las tensiones provocadas por la fábrica, para determinar el tipo de cambio social y cultural que tuvo lugar en Cantel.

CAPITULO V

LA VIDA SOCIAL Y CULTURAL: COMPARACION DEL TRABAJO EN LA FABRICA Y EL TRABAJO AGRICOLA

Lo que he llamado tensiones introducidas por la fábrica son producidas en los individuos por los nuevos ingresos, el mayor y más continuo contacto con personas ajenas a la familia en la situación del trabajo, y la distribución de sus energías y descansos en función de la fábrica y no de las fincas. Con estos cambios de tiempo, energía y recursos, los individuos tienen oportunidades de combinar elementos a fin de que nuevas formas de relaciones sociales, nuevas metas y nuevas actividades puedan surgir. Frente a esto, los trabajadores de la fábrica tienen una serie de alternativas, áreas de elección no inmediatamente presentes para aquellos que se dedican a ocupaciones tradicionales. Podemos tomar prestado un epigrama de Firth y decir que "la elección implica cambio". ¿Hasta dónde los trabajadores de la fábrica han deseado o han sido capaces de reorganizar los patrones de sus vidas? ¿Han llegado a diferenciarse en su estilo de vida, sentimientos religiosos, rutinas familiares, hábitos de consumo, deseos y necesidades, o en su visión del mundo, de aquellos que no están en la fábrica?

Para responder estas preguntas he comparado analíticamente los dos sectores ocupacionales, es decir la fábrica y la agricultura. Puesto que la mayoría de los trabajadores fabriles proviene del segmento agrícola, y ya que el retorno al trabajo agrícola no es frecuente, la comparación destaca punto por punto las bases sobre las que se realizó (o no) la elección para hacer cosas nuevas o diferentes; e insisto en los mecanismos de control social que no han permitido tomar o ejecutar decisiones capaces de diferenciar radicalmente el segmento fabril del segmento agrícola.

NIVEL DE VIDA

La comparación de las personas empleadas en la fábrica con los trabajadores agrícolas, en cuanto a sus niveles de vida, gira sobre las posibilidades de elección abiertas al trabajador remunerado de la fábrica. El mayor ingreso provee la base para la satisfacción de una mayor cantidad de deseos y para modificar los cimientos tradicionales del estilo de vida. Los aspectos materiales de la vida de los trabajadores de la fábrica son un índice de su apego a la escala cultural de preferencias de Cantel, por una parte, o bien la organización de los gastos, lo cual expresa un conjunto de alternativas que ofrece la cultura.

La mayoría de los trabajadores fabriles vive en el pueblo o en el caserío de la fábrica; y unos pocos de ellos, diseminados en los cantones rurales. Las casas que los trabajadores de la fábrica compran o construyen para sí (con exclusión de las casas de la fábrica que albergan a más del 10 por ciento de los empleados de la misma), están dentro de la escala de tipos de casas que es familiar a todos los canteleños. No puede distinguirse la casa de un obrero de la vivienda común y corriente de Cantel con base únicamente en detalles arquitectónicos. Las casas que más frecuentemente se encuentran en Cantel son estructuras de un piso, de adobe, y techo de

teja con una inclinación de 45 grados. Los cuartos pueden
hallarse en fila con salida hacia un patio, el cual es un espacio abierto circundado por una pared de adobe de cuatro
a ocho pies de alto, o bien pueden formar una L con dos
salidas hacia el patio. La figura 7 muestra la disposición física
de la casa típica del pueblo. Existen dos variaciones de este
tipo: casas de dos pisos con el segundo usado sólo para al-
macenamiento, y otras, más largas, que consisten de cinco cuartos dispuestos longitudinalmente, en los cuales por lo general
se alojan familias extendidas. Las casas de dos pisos, de las
cuales no hay más que tres, están todas en la plaza y pertenecen a las familias más ricas de Cantel.

Las principales unidades de habitación de estas casas consisten en uno o dos cuartos; cada uno tiene una entrada pero
no hay puertas que los comuniquen entre sí. La puerta que
da al patio se mantiene abierta durante el día para dejar
pasar luz y aire. Rara vez tiene una casa ventanas de vidrio.
Los pisos son de tierra y se cubren con hojas de pino sólo
para las festividades. En el cuarto principal hay por lo general
unas pocas bancas o sillas, una mesa que sostiene la imagen
del santo de la casa rodeada por vasos llenos de flores y candelas y platos de incienso, y una o más camas ordinarias de
madera. Si hay otros cuartos, en ellos se guardan camas, cofres y una miscelánea de artículos. Sólo los hogares más ricos
tienen una sala sin camas. Sobre las tablas de la cama hay
un colchón de paja o simplemente un petate; las mantas de
lana proceden de Momostenango o son de una franela más
barata de México, que cada vez se hace más popular.

La cocina por lo regular es una estructura separada, pero
puede estar junto a los cuartos; contiene una gran cantidad
de ollas de barro, comales, jarros, piedras de moler de varios
tamaños, cucharones y cucharas de madera, bolsas tejidas de
pita y de palma, vasijas, cántaros y trastos de loza o esmalta-

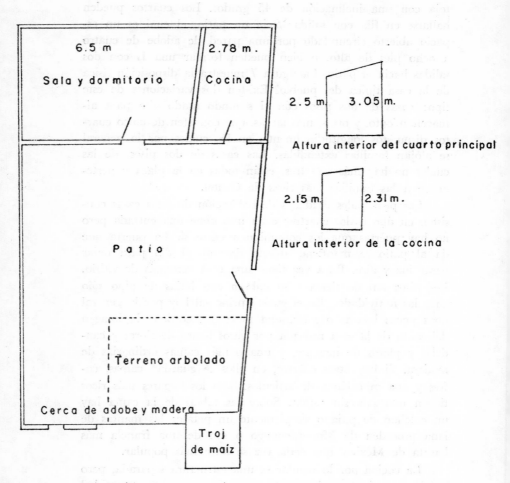

Figura 7. Casa típica de los habitantes del pueblo

dos hechos en México, así como platos y tazas. Los utensilios son colocados en repisas de madera o colgados de clavos. Sobre el piso, en el lado opuesto a la entrada, están las tres piedras del fogón, algunas veces rodeadas por un círculo de piedras planas.

La figura 8 ofrece la disposición física de una casa en Estancia, la cual es típica de la morada en el campo, donde las casas con techo de paja son más comunes y donde se encuentra algunas veces la casa hecha de adobe. La figura 9 es un bosquejo del tipo de casa provisto por la fábrica; se diferencia del tipo de la de Cantel en que no tiene un patio y en que es más reducido el espacio en los cuartos.

El tamaño de una casa, su estado de conservación, ya sea que sus paredes de adobe estén o no cubiertas con repello coloreado, dependen en parte de las posibilidades económicas. Pero las casas de los trabajadores de la fábrica no varían de modo apreciable con respecto a las otras casas. El excedente de lo que ganan los trabajadores de la fábrica no es gastado en embellecer la casa, y aun sus cocinas muestran el mismo descuido en el arreglo de los utensilios, el fogón de tres piedras, la falta de ventanas, y las características de la cocina usual en Cantel.

ARTICULOS UTILES

Hay ciertas cosas, sin embargo, que han entrado en la economía doméstica de los trabajadores de la fábrica y a las cuales casi sólo ellos tienen opción. Si la casa tiene un radiorreceptor, si el jefe de familia usa un reloj de pulsera, si hay una bicicleta estacionada en el patio, o si el hogar tiene conservas alimenticias, probablemente se trata de una casa que pertenece al trabajador de la fábrica. Estos artículos son de dos categorías: aquellos que cualquier canteleño con dinero compraría, y aquellos que sólo interesan a los trabajadores de la fábrica. Los *radios*, obviamente, están reducidos a los dos caseríos del municipio que tienen electricidad. Los trabajadores agrícolas de los cantones llaman "babosadas" a los *radios*, cosas sin sentido, pero se detienen a escucharlos cuando están en el pueblo o en el caserío de la fábrica. Yo pienso que los más ricos de ellos podrían desear *radios* si la electricidad estuviera disponible, así como los agricultores más ricos del pueblo los tienen. La bicicleta, sin embargo, no es útil a los trabajadores agrícolas; con ingresos equivalentes a los de un trabajador de la fábrica, el campesino prefiere y compra un caballo. El rápido y barato transporte de personas por sí solo no compite con aspectos del transporte y trabajo de una bestia de carga. Las bicicletas son el índice del abandono de las ocupaciones agrícolas.

Los relojes de pulsera y los trastos mexicanos esmaltados representan excedentes económicos de los ingresos obtenidos en la fábrica, más bien que nuevas necesidades. El tiempo medido es importante para los indígenas de Cantel, y un apreciable incremento en el número de relojes de pulsera podría esperarse si las entradas aumentaran.

Algo que se limita a los trabajadores de la fábrica y a los artesanos, es la inscripción en los cursos de instrucción por correspondencia en artes y oficios mecánicos. El deseo de aprender nuevas habilidades parece estar directamente relacionado con la capacidad de captar la movilidad económica y social como consecuencia del tiempo y el dinero que se invierten en aprender. Los trabajadores de la fábrica y los artesanos son capaces de ver su situación social en términos de sacar provecho de sus habilidades, mientras que los agricultores no pueden hacerlo.

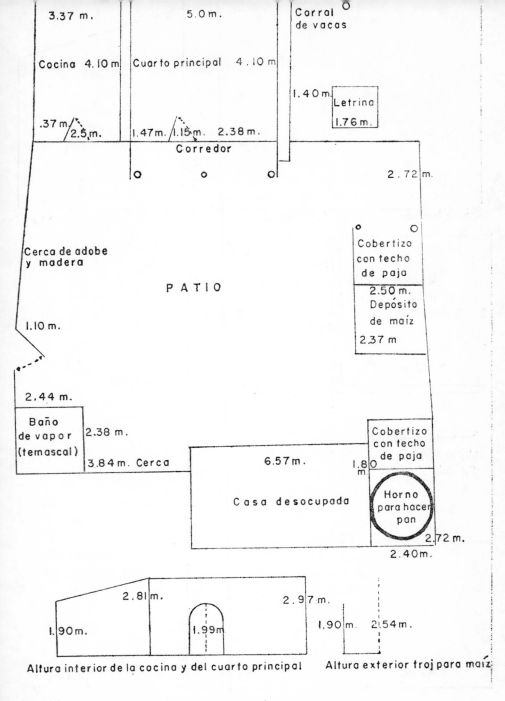

Figura 8. Casa típica de un labriego en Estancia

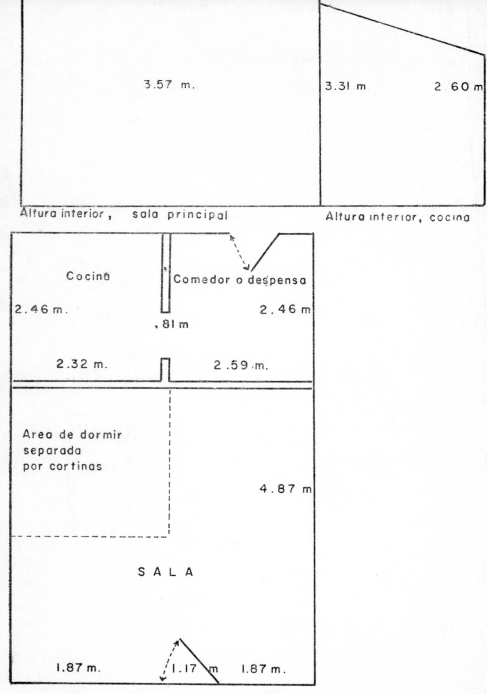

Altura interior, sala principal   Altura interior, cocina

3.57 m.   3.31 m.   2.60 m

Cocina   Comedor o despensa

2.46 m.   2.46 m

.81 m

2.32 m.   2.59 m.

Area de dormir
separada
por cortinas   4.87 m

SALA

1.87 m.   1.17 m   1.87 m.

Figura 9. Diagrama de una casa típica de propiedad de la fábrica
proporcionada a los trabajadores

ALIMENTACION

Las diferencias en la comida que consumen las familias de la fábrica y las del campo, son principalmente diferencias en cuanto a la proporción de los gastos. Los trabajadores de la fábrica tienden a consumir más artículos de mayor precio y menos de los de menor precio de la serie de comestibles de Cantel. Las adiciones a la dieta de los obreros (sardinas enlatadas, salmón y pimientos) muestran cierta aproximación a los hábitos dietéticos de los ladinos.

El cuadro siguiente compara dos familias de la fábrica, representando el presupuesto promedio de este segmento; una familia campesina cercana al nivel adecuado fijado por los de su clase, y una familia ladina representativa. Es evidente que los obreros gastan una gran parte de su presupuesto para comida en carne, verduras y pan, y que su consumo de maíz disminuye. El presupuesto de los obreros muestra que están bastante cerca de los patrones indígenas de consumo en Cantel, en comparación con la familia ladina. Todos los artículos en la dieta de los obreros son consumidos en alguna época del año por los trabajadores agrícolas, pero la familia obrera tiende a usarlos continuamente y en mayor cantidad que las familias campesinas.

Consumo semanal de comida (cantidad y valor) de 4 familias de Cantel

INDIGENAS

	Familia 1 de la fábrica		Familia 2 de la fábrica		Familia de labriegos		Familia ladina	
Maíz, libras	40	$1.52	37 1/2	$1.44	50	$2.22	28	$.82
Cal, libras	1	.03	1	.03	1	.03	1	.03
Frijol negro, libras	4	.40	4	.40	3	.36	2	.20
Frijol blanco, libras	—	—	—	—	—	—	—	—
Frijol de media luna, libras	4	.28	3	.21	8	—	2	.17
Chile, onzas	—	—	2	.06	—	.16	—	—
Chile verde, onzas	4	.24	—	—	—	—	—	—
Sal, libras	1	.04	1	.04	1	.04	1	.04
Café, libras	1	.50	1/2	.20	1	.40	1	.40
Azúcar sin refinar, libras	4	.40	3	.30	4	.52	—	—
Azúcar blanca, libras	2	.16	2	.19	2	.16	7	.56
Chocolate	—	—	1	.32	—	—	—	—

Continúa

INDIGENAS

	Familia 1 de la fábrica		Familia 2 de la fábrica		Familia de labriegos		Familia ladina	
Pan (panecillos)	25	.50	25	.50	13	.26	35	.70
Arroz, libras	2	.22	1	.12	—	—	2	.22
Fideos, libras	1/2	.12	1/2	.13	—	—	1	.24
Avena, libras	—	—	—	—	—	—	2	.30
Macarrones, libras	—	—	1/4	.05	—	—	1	.24
Pimienta, onzas	—	—	—	.01	1/10	.02	—	—
Clavo, onzas	—	—	—	—	—	.02	—	—
Canela	—	—	—	—	—	.03	—	—
Huevos, docenas	1/2	.36	1/3	.24	1/6	.12	2-1/2	1.80
Leche, litros	1.8	.21	3-1/2	.42	—	—	1-1/2	.18
Queso, libras	—	—	1	.12	—	—	—	—
Carne con hueso, libras	4	.88	4	.22	1-1/2	.33	3	.66
Carne sin hueso, onzas	—	—	10	.22	—	—	—	—
Lengua, libras	—	—	—	—	—	—	2	.68
Carne de cerdo con hueso, libras	—	—	1-1/2	.32	—	—	—	—
Moronga, onzas	—	—	4	.15	—	—	—	—
Chicharrones, onzas	—	—	—	—	—	—	4	.12

Continúa

	Familia 1 de la fábrica		Familia 2 de la fábrica		Familia de labriegos		Familia ladina	
Manteca, libras	1	.40	1/2	.20	1/2	.20	2	.80
Tomates, libras	2	.16	1	.12	2	.20	6	.24
Papas, libras	6	.36	3	.15	—	—	6	.33
Cebollas	6	.05	12	.06	12	.10	24	.20
Ajo, manojo	1	.02	—	—	—	—	—	—
Repollo, bola	2	.16	1	.05	1	.10	1	.04
Zanahoria, manojo	2	.08	1	.04	—	—	2	.12
Rábanos	—	—	2	.03	—	—	1	.04
Coliflor	2	.16	1	.06	—	—	—	—
Nabos, manojo	2	.10	—	—	—	—	2	.06
Ejotes	6	.04	—	—	—	—	12	.12
Remolacha	3	.18	—	—	—	—	2	.10
Guisantes, libras	—	—	—	—	—	—	1	.04
Lechuga, bola	—	—	2	—	—	—	—	—
Chiltepe, onzas	—	—	—	.04	—	—	1	—
Naranjas	—	—	—	—	—	—	4	.04
Limas	1	.03	1	.03	1	.03	1	.03
Injertos	—	—	—	—	—	—	—	.05
Bananos	12	.04	—	—	—	.05	8	.16
Plátanos, docena	1	.28	—	—	—	—	—	—
Dulces	—	—	—	—	—	—	—	.05

VESTIDO

En un día ordinario de trabajo es difícil distinguir a individuos de la fábrica o del campo por su vestido o traje. Un recuento cuidadoso podría mostrar que los trabajadores de la fábrica son calzados en mayor número que los otros; las mujeres de los obreros calzan sandalias con suela de hule más frecuentemente que las esposas de los labriegos; y hay mayor número de sombreros de fieltro que de paja entre los trabajadores de la fábrica. Pero el traslapo es grande y el grupo de la fábrica no sobresale. En días de fiesta, sin embargo, la ventaja económica de trabajar en la fábrica es evidente en el relativo lujo de la ropa. Durante la Semana Santa y la feria en honor del santo patrón, se acostumbra 'echarse el cofre encima', o sea que se usan los mejores vestidos que han sido guardados en cofres de madera y puestos aparte para tales ocasiones. Los trabajadores de la fábrica sin distinción están mejor vestidos que los trabajadores agrícolas y sus familias. Las mujeres aparecen con faldas que están brillantes y casi nuevas, con las clases más caras de güipiles de seda elaborada y algodón bordado, con cintas de brillante rayón nuevo en su pelo, con un chal del más costoso material tejido, con collares y aretes de plata, y casi invariablemente calzadas. Las mujeres campesinas pueden acercarse a este nivel de gala festiva, pero dado el bajo nivel del ingreso entre el campesinado en su conjunto, si muchas llevan vestidos limpios son obviamente usados. Algunas aparecen con sencillas blusas de algodón y faldas desteñidas, descalzas, y con viejos chales descoloridos por innumerables lavadas.

Los hombres exhiben la misma clase de diferencias en cuanto a las características y calidad de la ropa, pero muchos hombres de la fábrica, además, han adoptado un moderno traje occidental. Todo el valle de Quezaltenango muestra una tendencia en esta dirección, si bien los hombres de la fábrica de Cantel aparecen en la vanguardia del movimiento para cambiar la versión indígena del traje masculino hacia el estilo ladino. Si un hombre usa una chaqueta más larga que la usual en los indígenas, que les llega hasta la cintura, y si ésta es de tejido de lana más bien que de algodón de Cantel, o de lana tejida a mano en Momostenango o San Francisco el Alto, o si la chaqueta y los pantalones hacen juego, entonces aquel hombre es un ladino del lugar o un trabajador de la fábrica. La corbata o calcetines y zapatos, también señalan a un ladino del lugar o a un trabajador indígena de la fábrica, pero no a un trabajador agrícola. No todos los trabajadores de la fábrica han cambiado al modelo ladino, pero sí todos los cambios se encuentran dentro de los grupos de la fábrica, con excepción de dos familias de campesinos que ocupan una alta posición en la escala de riqueza y una familia indígena que sabe leer y escribir muy bien. El vestido de las mujeres de la fábrica tiene reminiscencias indígenas, llegando a ser más rico y más lujoso pero sin apartarse de la forma y gusto tradicionales.

La desviación en la moda de los trajes sólo parcialmente está basada en la diferencia en el ingreso. Ella representa un mayor acceso a los modelos ladinos, junto con la noción del traje como una ostentación. El papel ocupacional es simbólicamente visible sólo en tiempos de celebración.

LA FAMILIA

La familia nuclear de Cantel se compone de un hombre, su esposa y los descendientes no casados, que conviven en su propia casa. Esta familia nuclear registra el parentesco tanto en la línea materna como en la paterna y está así ligada a una ancha red de parentesco bilateral. La familia nuclear es la unidad de consumo, producción, actividad ritual, crianza de los hijos y actividad religiosa. La familia es la que tiene una posición social en la comunidad, y también es la familia —más bien que los individuos— la que se turna en el cumplimiento de las funciones civiles y religiosas. Con todo, ésta no es una sociedad de parentesco, y otros aspectos de la estructura social, como se verá más tarde, son igualmente importantes en el círculo de la actividad diaria. Me refiero a la familia nuclear dentro de la red de parentesco bilateral como el átomo familiar de la estructura social porque ésta es la forma más frecuente de organización de la familia, y porque éste es el modelo ideal hacia el cual se orientan los canteleños. La dinámica de la vida familiar es comprensible sólo si la forma preferida de la organización familiar, la nuclear, es vista como un modelo que no provoca tensiones u ocasiona frustraciones.

La composición de un hogar en Cantel es, en realidad, de tres clases: nuclear, extendida paternal y compuesta. La variación en la composición familiar es parte de la estructura social. Cualquier estructura social contiene patrones de organización que se desvían de las normas, y que representan la capacidad de la estructura para tolerar variabilidad. La presencia de las tres clases de familias en Cantel es al parecer un hecho inveterado. De la presencia de viejas casas multifamiliares, de los reportes de informantes ancianos, y de antiguos registros, se desprende que la variedad familiar ha sido la regla. En 1954, el 78.8% de las 860 familias de las cuales poseo datos censuales completos, era nuclear; el 21.2% restante tenía alguna forma de familia compuesta o extendida. La frecuencia relativa del tipo de familia entre los segmentos fabril y no fabril, es virtualmente idéntica. Esta incidencia similar indica que los grandes rasgos sociológicos de la organización familiar de Cantel han sufrido poca modificación con la existencia de la fábrica.

Una mirada hacia la dinámica de la formación familiar aclararía por qué el trabajo de la fábrica no ha cambiado grandemente la incidencia de los tipos de familias, y por qué la estructura social y su variación, por consiguiente, tienden a perpetuarse. Cuando se casa un hombre en Cantel, es costumbre que él viva con su padre por un corto período. Tiene la esperanza de que su padre le dé alguna tierra o capital que le permitan construir su propio hogar. La familia extendida paternal es vista como inherentemente inestable, y el hijo casado se muda tan pronto como hay una base económica para hacerlo; esta base consiste en una casa y su sitio, y, tradicionalmente, tierra suficiente para dar sustento a la familia. La importancia social de tener casa propia no puede ser sobrestimada; en efecto, es el hecho de ser cabeza de su propia familia lo que hace al hombre un miembro adulto de la comunidad.

La familia extendida paternal u otras familias compuestas, cuando son estables, constituyen situaciones familiares de compromiso que le restan plena posición social a una de las familias nucleares. Los compromisos son basados en la incapacidad del hombre para cumplir la norma cultural, incapacidad que es de dos clases: bien sea que ese hombre es tan pobre (o lo son sus padres) que un hogar independiente no sea factible; o que su padre no sea tan rico como para incorporarse a la familia de un hijo con la promesa de una herencia más grande.

Los trabajadores de la fábrica han sido capaces de acortar el período de la residencia patrilocal y de trasladarse a casas separadas antes que los agricultores en las mismas condiciones. El salario de la fábrica, empero, no permite el establecimiento permanente de familias extendidas, y tampoco proporciona base social alguna para su formación. Las familias obreras pueden formar hogares separados con el salario de la fábrica, y al mismo tiempo permiten a las familias campesinas competir para obtener más tierra; como consecuencia, las familias campesinas también tienden a reducir su período de residencia patrilocal. El efecto real de la fábrica ha sido el de mantener la viabilidad de la norma cultural de familias nucleares independientes. Pero a causa de que los trabajadores de la fábrica toman a menudo bajo su responsabilidad económica a sus padres ancianos, ellos también tienen familias compuestas, invirtiendo así el modelo usual de dependencia.

Una modificación manifiesta es la tendencia regular hacia la reducción de la residencia patrilocal. De acuerdo con los informantes más viejos, ésta ha sido la situación por algún tiempo. Es muy posible que la residencia patrilocal pueda eventualmente cesar (así como ha cesado virtualmente el servicio a la familia de la esposa) al surgir la posibilidad económica de la formación del hogar independiente sin gran ayuda de los padres.

La similitud básica en la composición de las familias obreras y campesinas se mantiene de este modo por mecanismos cambiantes. Las frecuencias virtualmente idénticas de la forma de la familia disfrazan estas variaciones menores en aspectos económicos y de residencia de la famiila fabril.

Comparación entre una familia obrera y una familia campesina

Las dimensiones económicas y de residencia de la formación de la familia, sólo parcialmente explican la persistencia de la estructura familiar. Los aspectos íntimos de la vida doméstica, la estructura de actitudes entre parientes, y las tareas y recompensas comunes entre los familiares, juegan un papel

importante. Tomo aquí para comparación la familia de un trabajador de la fábrica, Juan Q., y la familia de un campesino
independiente, Reginio M. Estos hombres son aproximadamente
de la misma edad, lo mismo que sus esposas; tienen casi el
mismo ingreso anual, aproximadamente Q370 y el mismo número de niños. (Este ingreso anual es lo que los canteleños
llaman "adecuado", y está por encima del nivel de vida prevaleciente. Es razonable suponer que estas familias, con sus
ingresos altos, llevan la forma de vida ideal según el modelo
cultural.) Ambos son nativos canteleños, definidamente indígenas. Los he seleccionado como ejemplo porque varían sobre
todo en cuanto a la ocupación y porque he estado íntimamente
relacionado con ambas familias por largos períodos. El contraste
entre ellas descubre el mecanismo del control social en la vida
doméstica y sirve como una base de comparación que permite
proyectar formas de variación familiar en Cantel.

Ambas familias viven en su propia vivienda: el trabajador de la fábrica en el centro urbano, a cosa de tres cuadras
de la plaza principal, y el campesino en el cantón rural de
Pachaj. Cuando ellos dicen 'familia', ambos se refieren a su
familia nuclear. Tanto en teoría como en la práctica, la familia nuclear es el único grupo de parientes y está ligado por
lazos de parentesco colectivamente llamados el *wačla.l,* los familiares.

Relación de la familia nuclear con la parentela

Las familias nucleares de los dos hombres son bastante
similares en sus relaciones con sus respectivas parentelas. Para
ambas, los parentescos significativos dentro del grupo de parientes más amplio y poco definido, el *wačla.l,* dependen del
interés y trato personal. La parentela es un conjunto de parentescos posibles que pueden no llegar nunca a cristalizar en

relaciones sociales permanentes. La parentela, nunca completa, se reúne solamente durante las crisis del ciclo vital —nacimientos, matrimonios y funerales. Reginio mantiene vínculos estrechos con su hermana, hermano, un tío y sus primos paternos. Exceptuando a su padre fallecido, las personas más importantes para él son su hermano y su hermana, quienes viven cerca de él y son las únicas personas con las que tiene confianza suficiente para visitarlas sin ningún pretexto. Pero los deberes u obligaciones que él y ellos tienen entre sí, no están bien definidos. El no espera recibir ayuda económica de ellos o ayuda en las labores agrícolas. Sus vínculos para con ellos son sentimentales y emocionales y no significan más que una situación agradable en la que él puede manifestarse como persona en todos sus aspectos.

El *wačla.l* de Juan consiste, de modo similar, en vínculos vagos y no especificados con los parientes por ambos lados. La parentela se reunía solamente para el matrimonio de uno de sus miembros y para el funeral de otro de ellos, y una vez durante la Navidad. El *wačla.l* no es una unidad económica. Juan puede solicitar la ayuda de parientes en caso de enfermedad, o quizás consultarles en caso de transferencia de tierras, pero cuando necesita dinero acude al prestamista local. Su esposa recurre a sus propios parientes para que la ayuden a cocinar en ocasiones festivas o a cuidar a un niño enfermo, pero probablemente acuda a los parientes de su esposo con la misma facilidad con la que acudiría a los propios. La terminología de parentesco empleada por Juan y Reginio refleja la naturaleza de la parentela (Figura 10). La memoria de Juan se remonta sólo a dos generaciones; puede nombrar a los hermanos y hermanas de su padre y de su madre, pero de la generación de sus abuelos sólo conoce a su abuelo y a su abuela. No hay términos de parentesco en su vocabulario que designen a los hermanos y hermanas de sus abuelos. De esta última ge-

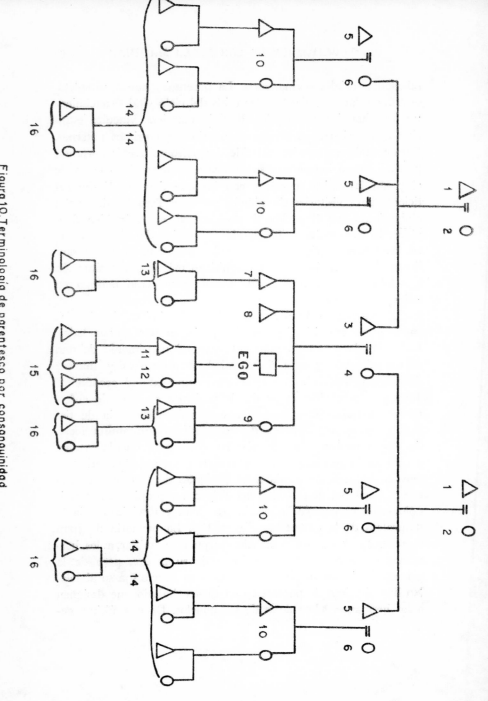

Figura 10. Terminología de parentesco por consanguinidad

neración sólo los abuelos, quienes pueden dar consejos morales, son socialmente importantes. Sus padres, así como sus hermanos, también dan consejos y ayudan a instruir a sus hijos, pero no tienen potestad para corregir a Juan o a sus hijos. El tomaría a mal que sus hermanos o hermanas o sus padres castigaran físicamente a sus hijos. Para Juan y Reginio, así como para sus esposas, los más importantes vínculos sociales fuera de la familia nuclear son los vínculos fraternales y la relación familiar respetuosa hacia los padres. Las mujeres de estas dos familias mantienen con sus madres lazos más estrechos que los hombres, y las hermanas tienden a ser más íntimas y participan en más actividades entre sí que los hermanos.

Las respectivas parentelas deben considerarse como conjuntos de vínculos de respeto, con oportunidades de preguntar a parientes sobre cosas que no se podrían preguntar a un extraño. Pero el que se busque o no a un pariente depende tanto de atracciones recíprocas y ajustes personales como del nexo familiar. En un sistema familiar tal, no es extraño que el trabajo de la fábrica no haya ocasionado expansión, contracción, o cultivo más extenso de los lazos familiares.

Parentescos dentro de la familia nuclear

En las relaciones íntimas de las familias de las cuales Reginio y Juan son sostenedores principales y cabezas, se ve el mismo modelo de dominación y posición relativa. La dirección masculina es dominante, los principios de edad y sexo operan como entre los hermanos, y si Juan o Reginio visitara al otro encontraría el conjunto de relaciones familiares dentro del hogar del otro, como algo completamente comprensible y digno de aprobación.

En su familia Juan es el centro de autoridad, y también es el centro de atención y solicitud. Su *wuš okil* (esposa) se

dirige a él por su nombre en privado, pero esto no debe tomarse como significativo de igualdad: ella está subordinada
a la voluntad de él, cuyas necesidades se atienden primero.
Los hijos dentro de la familia muestran respeto y subordinación
en sus relaciones con Juan y Roberta, pero Juan es la representación del poder y de las decisiones finales. La posición de
autoridad en Juan es visible en la mayor parte de la interacción social en la familia: a la hora de la comida él es servido
primero; se sienta a la mesa con su único hijo varón, el menor
de los niños, mientras su esposa se acuclilla en el suelo tomando su comida hasta después de que ellos han sido servidos.
Cuando él sale de casa, su esposa no le pregunta hacia dónde
va o cuándo regresará; le es suficiente a él decir que tiene
que hacer un mandado. Entre el esposo y la esposa hay una
división de trabajo de acuerdo con el sexo, y los niños tienen
papeles menores adecuados a sus edades. Juan gana el pan
de la familia en la fábrica; también es responsable de las reparaciones menores a la casa y de comprar los muebles principales. Roberta hace el aseo, cocina, va al mercado, lava y
aplancha, y tiene el cuidado de los niños, con alguna ayuda
de su hija mayor. Ella acarrea agua de la pila, limpia el patio, muele el maíz, sirve la comida y cuida la casa. Juan castiga
a los niños, casi siempre a requerimiento de ella.

Nunca hay una abierta manifestación de cariño entre esposo y esposa. Los términos de amor, los diminutivos, los gestos
casuales de cariño, están ausentes en la vida diaria. El cariño
del esposo es expresado realizando los deberes que le corresponden y no golpeando a su esposa con demasiada frecuencia
o sin causa suficiente. La mujer demuestra su afecto cumpliendo
con sus obligaciones domésticas, siendo fiel a su marido, ayu-
dándolo a llegar a la casa cuando él está tomado y no ca-
minando mucho sola en las calles. Los hijos están obligados
a demostrar gran deferencia a ambos padres, y nunca usan

nombres propios, sino siempre el formal *tat* para dirigirse al padre y *nan* para dirigirse a la madre. Los padres pueden usar términos cariñosos como "mamacita" o "papacito" para una hija o un hijo respectivamente. Si los niños son pequeños, como en la casa de Juan, nunca interrumpen cuando los adultos están hablando y siempre esperan a que se les hable antes de hacerlo ellos. El niño más pequeño puede quebrantar esta costumbre ideal cuando llora, pero al ser lo bastante mayor para entender puede tomar su lugar como un miembro serio de la familia. La madre muestra más afecto hacia los hijos en comparación con el padre, de quien se considera que ha mostrado su interés por los hijos al proveerlos de su comida, ropa, abrigo, educación y medicinas cuando esto es necesario. Juan, sin embargo, juega a menudo con sus hijos, pero no tanto con sus hijas. La madre no juega seguido con los niños: ella lleva uno amarrado a la espalda y se preocupa constantemente por los otros; éstos, empero, es de esperarse que jueguen uno con el otro o se entretengan entre sí.

Terminología de parentesco consanguíneo*

Español	Quiché	
	Ego masculino	Ego femenino
1. mi abuelo	numa.m	numa.m
2. mi abuela	watit	watit
3. mi papá	nuta.t	nuta.t
4. mi mamá	nunan	nunan
5. mi tío	nuti.ya	nuti.ya
6. mi tía	nuti.ya	nuti.ya

Continúa

Español	Quiché	
	Ego masculino	Ego femenino
7. mi hermano mayor	wuȼ	nuča'q
8. mi hermano menor	nuča'q	nuča'q
9. mi hermana	wana'p	wana'p
10. mi primo/a hermano/a	pri.m wačla.l	pri.m wačla.l
11. mi hijo	nukuxe.l	wa.l
12. mi hija	numiya.l	wa.l
13. mi sobrino/a	sobri.n	sobri.n
14. mi primo/a	pri.m	pri.m
15. mi nieto/a	ʔuwinuma.m	ʔuwinuma.m
16. mi pariente	wačla.l	wačla.l

* Los términos quichés no son semánticamente equivalentes exactos de los términos españoles.

Los hijos no son instruidos conscientemente por alguno de los padres. El procedimiento es el de ver y aprender, sin presión de los padres para hacerlo así. Los aspectos preliminares de socialización —los hábitos de higiene, caminar, hablar, sentarse— son considerados por Roberta como un desenvolvimiento natural que no necesita mucho de su ayuda. Ella lleva al niño a la espalda hasta que él es capaz de gatear. Al filo de los dieciocho meses, ella hace algún esfuerzo para enseñar al niño a caminar en los viajes que hace a la pila, en los mandados, o en el patio. Hacia esta edad no se espera que el niño pueda controlar sus excreciones. Al niño se le enseña a defecar en el patio por lo general a la edad de dos años y medio, y cuando comienza a hablar está obligado a dar aviso de sus necesidades. Los varones usan una camisa de lana más que pantalones, hasta que tienen dos o tres años, porque no controlan todavía su excreción. Orinarse en la cama y ensuciarse en los pantalones no se toman en serio hasta los cinco o seis años de edad y es entonces cuando los padres comienzan a reprender a los hijos si tal cosa continúa. A los cinco o seis años los hijos comienzan a ocuparse en tareas domésticas, ayudando a Roberta ya sea a moler el maíz en un pequeño metate, trayendo agua en una tinaja proporcionada a la estatura de la muchacha, o bien en el cuidado de los pollos de ella. En la familia de Juan los niños van a la escuela de la fábrica cuando tienen seis o siete años.

Los hijos nunca son estimulados con regalos o recompensas para hacer lo que se espera de ellos, pero se les regaña o golpea, según la gravedad de la falta, por hacer cosas que los padres estiman incorrectas. Los hijos no hacen preguntas a sus padres y raramente, en esta casa, parecen exhibir la curiosidad que nosotros consideramos natural en los niños que están creciendo. Más tarde encontramos que los niños sí eran curiosos cuando, al principio con esquivez y luego más espontáneamente, nos preguntaron acerca de muchas cosas, pero no se las preguntaron a sus padres porque éstos podrían estimarlo impertinente; los niños aprenden escuchando fragmentos de conversación entre adultos y observando el comportamiento de éstos. Casi todo el aprendizaje se hace acerca del respeto que se debe a alguien y bajo qué condiciones. Las únicas instrucciones verbales que oí a Juan y Roberta dar y que ellos dicen ser la única clase de instrucciones que siempre dan a sus hijos, son aquellas que se relacionan con saludos y cortesías al encontrarse con ancianos y personas de respeto. Cuando los niños cometen un error al sacar conclusiones acerca de la manera de comportarse en una situación dada, son reprendidos o golpeados levemente con la mano o con un látigo de cuero. Se les dice que una acción de esa clase —por ejemplo hablar a la hora de la comida— es incorrecto y que los niños no deben incurrir en ella otra vez. En casos extremos, Roberta puede intentar intimidarlos como un método disciplinario: ella puede decir, por ejemplo, que el chofer del tractor que corre en el camino real que se construye abajo del pueblo los cogería si ellos volvieran a portarse mal. Puesto que los niños están más en contacto con la madre durante todas las faenas del día, desarrollan más confianza en la habilidad de ella para apreciar la extensión y naturaleza de un mal proceder, para juzgar sobre su conducta y para interceder ante el padre. Ellos muestran una reacción más afectuosa hacia la madre y ella les muestra un mayor cariño. Los niños corresponden a las demostraciones de afecto con estar visiblemente más a gusto en la casa y con sus padres que con cualquier otro grupo de adultos, sean o no parientes.

Los hijos de Juan, aunque pequeños, actúan atendiendo el principio del respeto a la edad y al dominio masculino. Al varón, que es el menor, se han dado privilegios especiales dentro de la casa en comparación con sus hermanas, y tanto él como ellas dan por sentado que él es algo más importante que ellas; en la adquisición de juguetes sus preferencias se atienden primero; él come en la mesa con su padre, mientras que las niñas se acuclillan con su madre. Esto va de acuerdo con el principio de la edad: la niña mayor toma a su cuidado a las más pequeñas y a su hermano, pero es mucho más tolerante con el muchacho que con las niñas; a veces ella indica e instruye a la niña menor sobre la manera de usar su vestido, sobre cómo llevar una tinaja de agua y sobre la mejor manera de usar la piedra de moler. Hacia el muchacho ella es solícita a fin de que él no tenga molestias y no se dañe a sí mismo o perturbe la rutina de la madre. Hacia la hermana, pues, ella guarda una relación de equivalencia condicionada por la superioridad en la edad, lo cual la convierte en una relación de ligera autoridad. Con respecto al muchacho ella guarda, por tanto, una relación familiar de subordinación, modificada por su ventaja en años. Esta relación se refleja en la terminología familiar de Juan, quien distingue a sus hermanos según sean más viejos o más jóvenes, pero respecto de las hermanas no se toma como base la edad. Los hijos usan la misma clase de términos familiares y observan una conducta estrechamente ajustada a esos términos.

Como en el caso de todo trabajador de la fábrica, el centro de las obligaciones familiares de Reginio, su lealtad familiar, sus empeños económicos y su vida emocional descansan en la familia nuclear.

Reginio es el centro del respeto y de la autoridad en la familia nuclear. Su esposa expresa su subordinación en la forma acostumbrada de servirle primero a él en las horas de comida, en el hecho de comer en el piso mientras él lo hace en una pequeña mesa, y atender sus deseos antes que los de sí misma. Reginio es teóricamente quien toma las decisiones familiares, y aunque consulta la opinión de su esposa antes de tomar alguna decisión, él tiene la última palabra. Si fuese una decisión mal tomada, su esposa no le recrimina sino lo considera un golpe de mala suerte más bien que una decisión que ella debió modificar o sobre la cual debió haber insistido más fuertemente para que se cambiara. Los niños están subordinados a ambos padres, y nunca discuten o contravienen una orden o sugestión. Se espera y generalmente se recibe, una inmediata e indiscutible obediencia a las demandas paternas. Las peticiones a los niños son hechas, por lo general, con voces y maneras coloquiales y los hijos responden en la misma forma más bien casual, lentamente y sin prisa por demostrar que la orden ha sido cumplida. La exacta definición de los papeles de autoridad hace que las relaciones de la familia aparezcan como muy buenas a los ojos del observador, y los miembros, al ser interrogados, consideran que todo camina fácilmente, sin disputas o gritería.

Los mismos factores de sexo y edad, como en la familia de Juan, operan entre los hermanos de esta familia. La edad significa respeto, y la masculinidad significa más respeto que la femineidad. Los niños mayores están obligados a participar en las tareas domésticas. La niña pequeña tiene una tinaja de agua en miniatura y una pequeña escoba y una menuda piedra de moler, del mismo modelo que las de su madre y las cuales usa según su habilidad en el desempeño efectivo de las faenas domésticas. El muchacho más joven todavía no participa en el trabajo en el campo, pero cuando se acerque a los ocho o nueve años, según dice Reginio, comenzará a acompañar a su padre al campo con una réplica más pequeña del azadón y una red más pequeña para iniciar su participación en el trabajo agrícola.

Hay una división de trabajo bastante estricta entre el esposo y la esposa en ambas familias. Reginio es el que trabaja la milpa, el que cuida los animales y quien provee los alimentos, en tanto que su esposa es quien hace girar la esfera doméstica de la preparación de las comidas, limpiar y lavar, acarrear agua y cuidar el patio; el cuidado de los niños es responsabilidad de ella principalmente, aunque Reginio colabora llevando consigo a los niños al pueblo y sentándose en la casa con ellos cuando su esposa está ausente. Hay también tareas en las que ambos participan: comerciar en la plaza, vender maíz y frijol en el mercado, procesar el maíz después de cosechado y acarrear fardos.

En realidad el trabajo es dividido en forma bastante pareja, aunque el contenido del papel masculino es marcadamente distinto. La mujer domina la esfera doméstica, y el marido nunca entra en ella a menos que la esposa esté incapacitada por alguna enfermedad y él no pueda conseguir otra mujer que le ayude. El hombre trabaja en la esfera de la producción de ingresos y la mujer le sirve como un suplemento que le lleva la comida al campo o deshoja maíz o limpia frijol durante las épocas de la cosecha. En ambos hogares, los niños participan con réplicas en miniatura de las tareas de los adultos a medida que van siendo capaces. La principal diferencia estriba en que los hijos del trabajador de la fábrica van a la escuela todo el día y no serán requeridos para el trabajo a tan temprana edad como ocurre con los hijos de los labriegos.

Como unidad de consumo

Las economías familiares están en gran parte en manos del varón. Juan lleva su salario a casa y da Q3 semanales a su esposa para gastos diarios, tales como carne, chorizo y candelas, y los que ellos consideran adecuados para el mantenimiento de la familia. Ella puede gastar el dinero sin explicar detalladamente qué ha hecho de él, siempre que las comidas no falten. Juan compra el maíz, la ropa y las provisiones mayores. Roberta debe explicar y justificar cualquier gasto que hace o desea hacer fuera de su asignación semanal y la decisión final teóricamente está en manos de Juan, pero en la práctica a menudo es tomada por Roberta y ratificada por Juan. Las únicas veces que Juan golpea a Roberta es a causa de los gastos que ella hace; éste es, al menos, el motivo supuesto y sólo ocurre cuando él está bebido. En esto, él refleja al buen esposo en Cantel, quien, según se dice, golpea a su esposa "sólo por el gasto", únicamente en casos de mala administración o despilfarro de fondos. Las sospechas del esposo son, por lo general, fundadas, pues la esposa, como lo hace Roberta, intenta salvar algo de la cuota semanal con intención de comprar algo para sí misma. Roberta no es como muchas de las esposas que tienen un pequeño negocio de su propiedad, aunque ella ocasionalmente, como muchas otras mujeres, vende pequeñas cantidades del maíz almacenado con el fin de comprar alguna prenda de vestir por mucho tiempo deseada pero que no ha obtenido por falta de dinero.

Las propiedades de la familia están bajo el control del esposo, a menos que, como Roberta, la esposa aporte algunas propiedades suyas al matrimonio. Puesto que una mujer no acostumbra unificar sus propiedades con las de su esposo, ella conserva además algunas tierras a su nombre. Pero el capital acrecido después del matrimonio pertenece al varón y está a su uso y disposición durante su vida; esto es modificado, por supuesto, por las exigencias, lo cual quiere decir que cuando los hijos están enfermos Juan puede pedir dinero prestado sobre sus tierras si esto es necesario para hacer frente a los gastos y puede hacer lo mismo si su esposa se enferma. Las propiedades se mantienen separadas si la esposa tiene un claro derecho sobre algunas cosas o artículos mayores de su propiedad, pero el capital de ella y el común están siempre bajo el control y administración del esposo. De este modo el patrón de los gastos de familia es determinado dentro de límites estrechos por la idea de Juan sobre una casa bien dirigida. Los ahorros son el resultado de lo que Juan economiza, y los bienes acumulados son los que Juan piensa que vale la pena acumular.

Reginio el campesino, como Juan el obrero, determina el ingreso de la familia gracias a su destreza y trabajo en los campos y da a su esposa una cantidad más o menos fija cada semana, para gastarla en los negocios familiares y determina así los egresos. El compra los artículos mayores de consumo —vestidos, utensilios—, paga las reparaciones de la casa, etc. Su esposa le informa cuando se necesitan ciertas cosas, pero él decide si podrán satisfacer la necesidad. Los gastos de la casa de Reginio igualan en su monto total a los de la casa de Juan, y puesto que sus ingresos son casi equivalentes, sus niveles de vida deberían ser similares; sin embargo, el patrón de consumo es diferente. La familia de Reginio gasta menos en ropa y medicinas que la familia de Juan. El patrón de ahorro es tal que Reginio tiene una pequeña ventaja en lo que economiza en un año determinado. Nuestras cifras sobre el presupuesto familiar de Reginio no son tan completas como las que se refieren al de Juan, pero un examen general parece indicar que Juan tiende a vivir en el límite superior de sus ingresos en mayor grado que Reginio; Juan algunas veces toma dinero prestado, a interés, de los prestamistas locales, mientras que Reginio me dijo que él no tiene deudas pendientes y logra ahorrar algo casi todos los años. Reginio gasta más en funerales que Juan, y también tiene un gasto relacionado con el alma de su padre muerto —misas dichas en favor de éste, candelas en la iglesia y flores sobre su tumba.

La similitud entre Juan y Reginio estriba en la forma en que son controlados los gastos dentro de las dos familias, y las diferencias radican en el contenido de los gastos y el pequeño margen de ahorro en la familia campesina.

Como centro religioso

La familia nuclear tiene un altar doméstico que sirve como centro ceremonial o religioso. El santo que está colocado sobre la mesa en la sala, rodeado de flores y con una o dos candelas frente a sí, procede de la familia de Juan; es el santo de él; pero sirve para bendecir a toda la familia, la cual le reza conjuntamente sólo en su día; se hacen oraciones diarias al santo, pero ellas son responsabilidad individual de cada miembro de la familia. Juan hace sus reverencias estando solo, por la mañana, por la tarde y por la noche. Roberta, en unión de los niños, ofrece el mismo conjunto de oraciones tres veces diarias. El horario de rezos deriva de la división del trabajo: la esposa está en la cocina preparando la comida mientras el esposo reza, y ella debe hacerlo cuando Juan ha comido y se marcha al trabajo a una hora fija. Además existe la creencia de que la afinidad con el santo, o el interés de él, depende de la persona y que ésta debiera presentarse para protección diaria. Los niños rezan con la madre y aprenden las oraciones que ella recita en español.

La familia va a la iglesia en forma individual; Juan raramente lo hace, y Roberta lleva a los dos hijos mayores en visitas poco frecuentes. La familia concurre a la iglesia con ocasión de bautismos y funerales. Juan sirvió en el sistema de cofradía, lo cual implicó una división de trabajo religioso entre él y su esposa; él mantuvo los aspectos ceremoniales de la oración y cuidó de la imagen, en tanto que ella cocinó para los cofrades reunidos y ayudó a lavar los vestidos del santo de la cofradía. Hay poca actividad ceremonial común o sentimiento religioso general en esta familia, excepto cuando se trata del cuidado del santo de la casa y de tomar las precauciones para garantizar la seguridad de la casa y los niños. Esto se logra con actos tales como poner alguna hierba sobre la entrada de la casa, erigir una cruz de maíz cuando éste es puesto a secar después de la cosecha, y otras técnicas que requieren la cooperación del esposo y la esposa.

El santo de la casa de Reginio está colocado sobre una mesa en la sala y también proviene de su padre. La familia no le rinde culto como una unidad, y cada persona le reza, sola, tres veces diarias, excepto los hijos más pequeños que acompañan a la madre cuando ella dice sus oraciones. La familia actúa como una unidad en la vida religiosa o cere-

monial cuando va a misa, conjuntamente, tres veces al año
—el cuarto viernes de cuaresma, la fiesta titular y el Día de
todos los santos. El bienestar religioso de la familia se logra
con el cumplimiento por cada uno de sus miembros de los
varios tabús y conductas comunes prescritos en la comunidad
en cuanto a la relación del individuo con lo sobrenatural.
Cuando Reginio sirvió como cofrade, su esposa por supuesto
tuvo que ver con la preparación de la comida y en aspectos
del servicio social de ese cargo. Como en el caso de Juan, se
trata realmente de un esposo y una esposa que cumplen con
el cargo; el hombre cumple los aspectos públicos de la función
y la mujer se ocupa del trasfondo. En tiempo de cosecha la
familia coloca una cruz de maíz en el lugar del patio donde
éste se seca, como una ofrenda en acción de gracias, y más
tarde se guardan las mazorcas de maíz que la formaron, para
ser colocadas en el altar de la casa.

Como unidades religiosas, las familias son estrechamente
semejantes. El altar de la casa es el foco familiar y la devoción
se mantiene más en forma individual que colectiva. La fábrica
no parece haber iniciado algún movimiento dirigido a reducir
la religión del hogar, ni a aumentar la actividad colectiva
dentro de éste. Ambas familias mantienen casi el mismo conjunto de ritos y oraciones: el santo en la sala principal, la
cruz de maíz en época de cosecha, la hierba augural sobre la
entrada, el sacrificio doméstico cuando se forma un hogar,
el rezo y encendido de velas tres veces diarias, el silencio
durante la comida que es considerada como una misa, la
asistencia familiar a misa en los tres grandes días festivos, y
la participación de la esposa en el cargo religioso del marido.

En el sistema de compadrazgo

El compadrazgo es un sistema por el cual una familia extiende sus relaciones personales con otros miembros de la comunidad. Al asumir parentesco virtual o ficticio en las crisis del ciclo vital del bautismo y el matrimonio, se consigue un grupo de padrinos y compadres, hacia quienes se muestra respeto y deferencia y de quienes se puede esperar consejo ocasionalmente. Al casarse Juan escogió a una pareja que él creyó honorable y con la cual ninguno de sus parientes había tenido nunca una disputa importante. Juan les pidió servir como padrinos de matrimonio, y de esta manera él y Roberta consiguieron dos personas mayores hacia quienes podrían mostrar y sentir respeto. Al nacer cada uno de sus hijos, Juan buscó parejas que se le aproximaban en edad, para hacerlos padrinos de aquéllos y por consiguiente compadres y comadres tanto suyos como de su esposa. Juan y su esposa tienen ahora tres grupos de compadres, que consisten en tres parejas diferentes, y de los cuales uno es el grupo de padrinos de matrimonio, y los padrinos de cada uno de sus bautizos. Hay un sentimiento de reserva entre compadres, quienes siempre se saludan mutuamente en términos apropiados de respeto. La función de los padrinos es una versión atenuada de tío carnal, haciendo advertencias y dando consejos morales. En la vida de Juan la relación con los compadres está restringida en gran manera al saludo formal cuando se encuentran, y a un poco de más interés por la suerte de los compadres que por la de una persona completamente extraña. Los compadres muestran algún interés en sus ahijados, pero no mucho más allá de proveer lo que se necesita en el momento en que asumen su cometido.

Los compadres toman su posición característica con base en la vaga e indefinida obligación adscrita a los parientes por consaguinidad y afinidad. Constituyen un recurso social y centro de atracción sentimental en menor grado que los parientes reales, pero en mayor grado que un extraño. En un caso de extrema necesidad Juan recurriría a sus compadres pensando que ellos probablemente le ayudarían. Su interacción, sin embargo, no es más frecuente con sus compadres que con aquellos que no lo son, y ellos —los compadres— parecen servir como una remota forma de seguridad para sus hijos, en caso que, por alguna razón, no fuera él capaz de obtener la ayuda de sus parientes, o que no pudiera bastarse a sí mismo. Juan y Roberta, a su vez, asumen el cargo de compadres cuando son requeridos para ello. Juan es muy popular, tiene más de 30 grupos de ahijados y compadres y él decide cuándo su familia asumirá el gasto de proporcionar ropa para un recién nacido, cuándo tendrá que pagar una parte de la ceremonia matrimonial, y cuándo aceptará relaciones de compadrazgo. Su alternativa está restringida por el deseo de no aceptar proposiciones de amigos muy cercanos porque esto significaría que la amistad terminaría para ser sustituida por la relación de respeto. El acepta proposiciones de aquellos con quienes mantiene mínimas pero amigables relaciones, y de aquellos que no tienen disputas pendientes con él mismo ni con los parientes de su esposa. El hecho de ser escogidos como compadres constituye una ratificación de que Juan y Roberta son gente decente y respetable y de que ellos no se ven envueltos en riñas personales.

La participación de Reginio en el parentesco ficticio por medio del sistema de compadrazgo, no es especialmente amplia. El tiene cerca de cinco grupos de compadres que fueron escogidos o lo escogieron a él, porque no había una cálida e íntima amistad ni una disputa pendiente y porque todos los participantes eran considerados personas formales y honorables. Los lazos del compadrazgo implican respeto y términos especiales de saludo cuando los compadres se encuentran; no conducen a un mayor incremento de la interacción, al préstamo o ayuda en dinero o al intercambio de trabajo en el campo. Reginio algunas veces hace uso del intercambio de trabajo, o "dar una mano", en la cosecha o siembra de sus campos, y cuando él necesita ayuda ajena no pagada, se dirige a los vecinos con quienes ha completado un cierto número de días de trabajo recíproco en sus respectivos campos. El no se vale para esto del parentesco por consanguinidad ni por compadrazgo, sino prefiere el intercambio de tiempo de trabajo —un *quid pro quo* comercial— escogiendo hombres cuyo trabajo equivale aproximadamente al suyo propio tanto en habilidad como en productividad.

En resumen, las familias son clases de agrupaciones casi idénticas con respecto a sus relaciones de parentesco, su estructura interna, su aspecto económico, los medios de autoridad y control, la división del trabajo y la religión doméstica. Las diferencias son evidentes en la reducción de la dependencia económica respecto del padre como cabeza de familia y en el papel de la generación más joven. La familia propiamente dicha no ha tenido que hacer ajustes sentimentales o de conducta por el hecho de que su principal sostén obtenga sus ingresos de un rol ocupacional no tradicional y de reciente introducción.

El aserto general de que la familia del obrero no ha sufrido un ciclo de cambio que la haga divergir de la familia fabril, basado como está en la comparación precedente, es aplicable a la generalidad de las familias de la fábrica donde el principal sostén es cabeza de casa. Con la generalización así establecida se sostiene que las familias obreras son, dentro de la variabilidad social y cultural común a la organización familiar de Cantel, como las familias campesinas en sus ajustes sociales y su orientación cultural.

OTRAS UNIDADES DE FAMILIA

Esta comparación de familias es sólo una respuesta parcial al problema de la diferenciación de las relaciones familiares del trabajador de la fábrica. La respuesta completa requiere un análisis de todos los tipos de familias —específicamente aquellas en las cuales un hijo o hija es trabajador de la fábrica pero vive en el hogar; aquellas familias en las cuales ambos esposos son trabajadores de la fábrica; aquellas otras en las que la mujer es trabajadora de la fábrica y el hombre no; y finalmente los arreglos familiares en los cuales las personas jóvenes mantienen a sus padres en el nuevo domicilio formado por ellas. Estas otras unidades familiares son aquellas en las cuales las tensiones provocadas por el empleo en la fábrica sobre los modelos tradicionales, pueden apreciarse más claramente.

Mi estudio de tales familias enfatiza sobre los mecanismos de control que impiden que las tensiones cristalicen en nuevas formas sociales. La tesis a que me adhiero es que las tensiones de la vida familiar siguen siendo suprimidas por los medios tradicionales de control social, pero estas tensiones proporcionan, en parte, las bases para los cambios institucionales que se produjeron en el curso de la década de la revolución o sea 1944-54. Para ser lo más explícito diré que el trabajo fabril somete a la familia a una serie de nuevas oportunidades en lo que respecta a la organización emocional y social, pero estas sendas no son seguidas, a menos que ocurra un cambio mayor en la distribución del poder político local como ocurrió en Cantel a través de la organización del sindicato. Mi tesis

sobre la familia hace hincapié en su sostenida habilidad de-
fensiva en una situación social de presión continua —presión
que desembocó en la resaca del fermento político nacional,
como ésa que fuera canalizada por el sindicato local.

Hijos solteros empleados en la fábrica

Cuando un hijo o hija soltero trabaja en la fábrica y
vive en la casa de sus padres, existe un mecanismo común
para mantener las relaciones de autoridad y respeto entre hijos
y padres. El personal de la fábrica que vive en el hogar de
sus padres muestra hacia ellos la misma deferencia que aquellos que no trabajan en la fábrica. La explicación de esto
parece descansar en el control del ingreso familiar y en el
dominio y responsabilidad sobre el solar de la casa y sobre
su manejo. Los que son hijos de campesinos y trabajan en
la fábrica traspasan sus sueldos completos a los padres, casi
sin excepción de ninguna clase como no sea la retención ocasional de unos pocos centavos. Aquellos a quienes he preguntado, me han dicho que transfieren el dinero porque ello es
una obligación: cuando se vive en casa de los padres se está
subordinado a la autoridad de ellos. El cabeza de familia es
quien controla todos los fondos que ingresan y salen de la
casa; los hijos le entregan sus ingresos porque consideran que
él está en su papel de proveedor y dirigente de la casa en la
que ellos son sólo residentes. El cabeza de familia puede reforzar este criterio sobre su papel, incluso con la sanción extrema de denegar acceso a la casa a los hijos a menos que
acepten esas normas. Puesto que los hijos más jóvenes que ganan dinero no pueden establecer casas separadas, sino hasta
que se hayan casado y estén dispuestos a costear la compra
o construcción de una casa, la simple falta de alternativa es

un gran obstáculo para rebelarse contra la autoridad paterna. Además, la ausencia de restaurantes o casas de alquiler, combinada con el estigma de vivir 'recomendado' en algún hogar ajeno cuando se tiene una familia, fija límites más estrechos frente a la alternativa de vivir en el hogar. Las fricciones entre los trabajadores jóvenes y sus padres son aligeradas por el jefe de familia al permitir a los hijos comprar muchos más artículos personales de los que conforme a la costumbre les serían permitidos.

La situación para las hijas que trabajan en la fábrica es bastante parecida. Su patrón de ingresos y gastos es determinado por el jefe de la casa en que ellas viven, y por la misma obligación moral combinada con sanciones que no admiten recurso. Puesto que una mujer no puede dedicarse al cortejo activo ni hacer demandas abiertas de independencia o matrimonio, algunas empleadas de la fábrica tienen residencias establecidas en las que dos o más muchachas dedicadas al trabajo fuera del hogar atienden sus propios hogares. Esto es usual sólo cuando los padres han muerto y la muchacha obrera no desea vivir con algún otro pariente. Este es un patrón desviado en Cantel y la desviación es reconocida por las muchachas, que la aceptan como una solución necesaria y transitoria. De esas muchachas a menudo se dice que son renuentes a asumir el papel de ama de casa, lo cual implica que ellas sólo cumplen parcialmente como mujeres. Menos del uno por ciento de las solteras que trabajan en la fábrica vive de esta manera, y no hay señales de que esto llegue a cobrar mayor auge. Su importancia descansa en la posibilidad que da el libre uso de los ingresos provenientes de la fábrica para la integración del hogar. Ello no tiende a subvertir la norma de estructura familiar establecida, ya que carece de sanción moral y es de naturaleza transitoria.

Esposos empleados en la fábrica

Cuando los dos esposos son empleados de la fábrica (hay 64 de tales casos entre indígenas y 5 entre ladinos), se presenta otro problema para la familia tradicional. La igualdad en el salario y en el control económico no existe en la familia canteleña normal. Una esposa que gana dinero fuera de las labores que le son propias, por lo general considera suyo ese dinero, como lo hace su esposo. A menudo las mujeres, aunque no siempre, entregan una parte o el total de sus ingresos provenientes de actividades económicas menores, principalmente bordado o costura, al fondo común de la casa. Ellas pueden retener y retienen para sí mismas lo que estiman justo y usan esos fondos en la forma que les parece conveniente, que por lo común es la de adquirir vestidos o adornos. Por lo general, estos ingresos son destinados a gastos minúsculos y no podrían alterar significativamente el total del capital de la familia. Pero la esposa obrera gana un mayor salario, cuyo libre uso le aseguraría su independencia económica y la satisfacción plena de sus necesidades, lo cual está más allá del alcance y aspiración normales de la canteleña. El problema planteado por una esposa que trabaja en la fábrica gira en torno a las implicaciones sociales de esta posición económica, con las posibilidades de una relación más igualitaria entre los esposos y una participación más equitativa en el gasto de los ingresos familiares; tomados en conjunto, éstos contienen la posibilidad de modificar el acuerdo cultural sobre el sentimiento familiar.

Como era de esperarse, las familias en que este problema ocurre se han ajustado a una serie de formas idiosincráticas, ninguna de las cuales es de igualdad entre los cónyuges o de rompimiento de la relación de autoridad entre ellos. El arreglo más común es que la mujer entregue a su esposo la casi totalidad de sus ingresos, guardando una pequeña cantidad que ella controla. Esta clase de manejo da al esposo el mismo control sobre la economía doméstica que resultaría si su esposa no fuera una empleada de la fábrica que ganara un salario bastante grande. No estoy en capacidad de afirmar definitivamente si la autoridad del esposo disminuye o no en este caso, pero parece no ocurrir en un caso que conozco con intimidad. A despecho de que la mujer hace entrega voluntaria de un ingreso igual al del esposo, éste no corresponde permitiéndole una mayor participación en las decisiones que se toman, y ella no reclama su derecho a una posición igualitaria en el seno de la familia. Esta parece ser la situación en general, juzgando por el hecho de que las esposas así empleadas no abandonan la casa de sus esposos con mayor frecuencia que las mujeres que no trabajan en la fábrica. El matrimonio, sin embargo, aquí como en otras comunidades mesoamericanas, es bastante frágil. El hecho de pasar la mayor parte del dinero al esposo es aceptado como obligación y conducta normal de la esposa; mientras el esposo no malgaste el dinero en cosas como beber, el arreglo trae lo que se considera una actitud favorable del marido y contribuye a la mayor felicidad hogareña al obviar las muchas dificultades financieras que afligen usualmente a una pareja.

En diez casos, la mujer obrera y su esposo viven en la casa en que ella nació. Bajo estas condiciones es costumbre que ella divida su ingreso entre sus padres y su esposo, en el entendido de que ella tiene una obligación doble: una hacia sus padres por estar todavía bajo su techo, y otra hacia su esposo como jefe de un hogar aparte. Al igual que las campesinas, las obreras no se consideran explotadas si trabajan y entregan sus ingresos al esposo o a su padre. Ellas tienen una participación en los gastos mayor que la que tendrían si no fuesen obreras. La mujer obrera está mejor que la que no lo es, en cuanto a los objetos que posee y a la calidad de sus vestidos, y está mucho mejor que si no trabajara. También se parece culturalmente a la mujer que no trabaja en la fábrica en cuanto a cumplir los otros requerimientos de su propia condición, y por consiguiente se considera una mujer que goza de mejor posición y es vista así por otras mujeres del lugar. Ella es vista, por supuesto, como una fuente de ingreso para la familia o el esposo con quien está asociada. Muchas mujeres obreras cuyos esposos también están empleados en la fábrica, trabajan para adquirir cosas definidas, tal como una casa, y el tiempo de su trabajo es, por consiguiente, limitado.

Padres que dependen de hijos empleados en la fábrica

A menudo hay hijos u hombres jóvenes que por su salario en la fábrica son más ricos o están económicamente más seguros que sus padres o sus mayores. En los casos en que el padre o la madre son mantenidos en el hogar del hijo, es más probable que éste sea un trabajador de la fábrica. Este sostén de los padres por los hijos jóvenes empleados en la fábrica, trastrueca las relaciones anteriores de dependencia y altera las expectativas culturales. Esto difiere de los casos en el medio agrícola, que por lo común resultan de que un padre da a su hijo la casa y la tierra en las cuales el primero será mantenido más tarde. Los hijos obreros ayudan a sus padres pobres en la medida de sus posibilidades económicas y a menudo sin ningún legado económico de los padres.

En estas familias, al padre o padres se rinde el respeto y deferencia que se les debe por su grado de parentesco, pero están despojados de autoridad y poder por la circunstancia de estar bajo un techo mantenido por otros. Las personas mayores no controlan la hacienda doméstica de estas familias, ni determinan el patrón de consumo y gastos de sus hijos. El papel normal del padre respecto de sus hijos está seccionado: los componentes de respeto y deferencia están divididos de los aspectos de control económico y autoridad personal. Hay algún malestar en tal papel dividido; pero el hijo acostumbra decir que él está cumpliendo con su obligación hacia sus padres, y los padres advierten que los hijos son buenos porque han tomado la carga de mantenerlos. No obstante, este tipo de familia subvierte las relaciones existentes entre padres e hijos, entre viejos y jóvenes, y si el sector agrícola se deteriorara económicamente mientras que la fábrica persistiera, esto podría causar, por medio de una mayor incidencia, cambios significativos en el cuadro general de familia en Cantel.

De la descripción de la familia en Cantel en lo que respecta al papel ocupacional del trabajador de la fábrica, se deduce que el hecho de estar así empleado no ha creado en mayor grado nuevas estructuras familiares o patrones emocionales. Las familias de los obreros son marcadamente similares, en forma y contenido, a las de aquellos que no son obreros. Las mayores divergencias parecen orientarse en dos direcciones. Primero, los mayores recursos económicos de la familia obrera en relación con la escala de ingresos que prevalece en Cantel, promueve la integración de la familia nuclear al resolver algunas de las tensiones asociadas con la disponibilidad de medios muy limitados. Segundo, el obrero se hace cargo del mantenimiento de sus padres, si fuere necesario, en una edad temprana y bajo condiciones que antes no existían en la comunidad. Estas divergencias no han diferenciado tanto al trabajador de la fábrica del laborante agrícola, que puedan percibirse en su respectiva vida social disparidades grandes y socialmente visibles, capaces de causar fricción. El trabajador de la fábrica da vida a las expectativas culturales de su sociedad en el carácter de su existencia familiar.

Que las diferencias no sean mayores ni el papel ocupacional más destructivo, parece orginarse de la evolución de mecanismos

restrictivos dentro de la familia en cuanto al gasto del salario
ganado por los obreros. Estos mecanismos, combinados con la
importancia de la propiedad de la casa y el concepto de obligación mientras se vive bajo el techo de alguno, indican un
conjunto de respuestas que son empíricamente capaces de contener presiones generadas por nuevas fuentes de ingreso y por
una diferente distribución de asalariados. Estos mecanismos
al mismo tiempo cubren tensiones que si se dejaran sin resolver
serían las raíces probables del rompimiento familiar que ocurre
en muchas áreas subdesarrolladas, en proceso de industrialización.

AMISTAD Y ASOCIACIONES VOLUNTARIAS

Ahora nos referiremos a los vínculos de amistad y de
asociación para poder observar la creciente diferenciación entre
el personal de la fábrica y el que no lo es, debido a sus actividades económicas.

Carencia de una tradición de amistad

La conducta acostumbrada en Cantel no incluye visitas
a los amigos y parientes, excepto en ocasiones estrictamente
definidas. No hay actividad alguna que corresponda a nuestra
noción de la casual visita social, ni un concepto que se aproxi-
me a nuestro punto de vista sobre el tiempo de ocio y la
actividad recreativa. Las calles del pueblo están casi desiertas
después de la hora del trabajo, y en cada casa la familia
nuclear pasa el tiempo sola, sin pensar en visitar o ser visitada.
En los cantones rurales la situación es exactamente igual. Después de las ocho de la noche el pueblo parece desierto, excepto
por las lánguidas luces que alumbran a través de la niebla de

la noche y las luces un poco más fuertes de la calle de la fábrica. No se encuentra a nadie, a menos que sea un borracho
que va gritando por las calles o el guardián nocturno que em-
pieza su vigilancia de hora en hora después de la medianoche.

Una mujer visita a otra cuando se trata de algo provocado
por la necesidad, algunas se ven obligadas a buscar la compañía
de una vecina en casos como cuando necesitan comprar o vender
un pequeño artículo, pedir o dar dinero en préstamo, o para el
acarreo de víveres en tiempo de enfermedad. La visita por
placer para conversar sobre cosas amenas está culturalmente
prohibida, y la habladuría y el consejo dado durante el matrimonio apoyan estas prohibiciones. Si una mujer visita por
placer, como se hace a menudo, esto debe apoyarse en la racionalización, plausible tanto para la visitante como para la
anfitriona, de algún motivo urgente e impersonal que justifique
el buscar la compañía de una vecina durante el tiempo en que
hay trabajo que hacer. Durante la semana de trabajo, los hombres están cada uno en sus campos, en sus ocupaciones especiales
o en la fábrica. Ellos no tienen ni encuentran el tiempo preciso
para visitas sociales durante estas horas.

En concordancia con lo anterior, y quizás a causa de ello,
no parece haber un patrón de relaciones de amistad según
entendemos esta palabra. La gente no establece relaciones profundas e íntimas con alguien que no sea pariente. No hay
oportunidades en la vida diaria para una interacción personal
prolongada con quienes no son parientes, ni estructura alguna
de asociación basada en la premisa de intereses afines o en
ideas de compañerismo o deporte. Los grupos de no parientes
que forman parte de la sociedad tradicional, tales como las
asociaciones religiosas de la iglesia católica local o las sociedades
religiosas voluntarias del catolicismo folk, no proporcionan un
modo o lugar para la interacción social íntima y prolongada,
única condición en la que puede desarrollarse la comprensión

personal que se necesita para la amistad en el sentido occidental. La agrupación temporal de hombres en los cargos civiles o religiosos, tales como las cofradías o el grupo de jóvenes guardias civiles que sirven por un año, está tan estilizada y controlada por la costumbre en la mayor parte de sus aspectos, que el conocimiento personal de los individuos con quienes se sirve es casi imposible. En aquellos aspectos en que la costumbre no proporciona mecanismos formales para la interacción personal, tal como en el cambio de cofradías o en el cese de funciones al final de un período, se dan siempre los casos de excesos alcohólicos. El alcohol sirve para llenar la laguna suscitada cuando se requieren reacciones personales pero no existen precedentes que faciliten la expresión de éstas.

Las mujeres también están en las mismas circunstancias. Ellas se entremezclan sobre una base ajena al parentesco pero sólo en circunstancias breves e impersonales. En las fiestas o cuando están en la situación de la esposa cuyo marido está cambiando funciones, ellas también caen en los excesos alcohólicos como un medio para superar tensiones en situaciones personales y para impedir situaciones en las que se requieran reacciones personales coherentes.

Formación de amistades en la fábrica

La falta de lazos de amistad o de estructuras de asociación o acción especial todavía caracteriza a la población de agricultores y artesanos del municipio. Los trabajadores de la fábrica difieren de este patrón en cuanto que participan en asociaciones y entidades voluntarias y tienen relaciones de amistad perdurables. El hecho de que las amistades se formen principalmente entre trabajadores de la fábrica se relaciona con dos aspectos de su papel ocupacional. Primero, la situación en la fábrica requiere asociación de personas no parientes por largos períodos, y el trabajo exige cierta clase de comunicación personal al ser realizado. Segundo, la formación de un sindicato basado en intereses comunes y procedimientos democráticos de elección y control, proporciona una estructura de asociación que hizo posible el desarrollo de interacciones personales y ofreció una base para cultivar relaciones personales que pudieran concluir en amistad. Además otros grupos voluntarios orientados hacia actividades recreativas han crecido alrededor de la actividad fabril —un equipo de fútbol, un club de ciclismo y un equipo de básquetbol ahora desaparecido. Un ejemplo de la forma en que tales amistades se desarrollan, es el caso de Juan Q. que se ha hecho de dos amigos íntimos en el trabajo de la fábrica. El trabaja en el departamento de hilado donde se requiere un mínimum de comunicación entre los trabajadores en la misma línea de máquinas y entre trabajadores y el caporal que los supervisa. Juan se ha hecho amigo de dos de los hombres de su línea. Las amistades vienen de mucho tiempo, y no obstante que él y uno de sus amigos han sido ascendidos a caporales desde la formación de las dos alianzas de amistad, Juan es todavía amigable con el hombre que no fue ascendido. Juan describe la formación de su amistad con estos hombres como consecuencia del hecho de trabajar juntos. Ellos platicaban entre sí acerca del común oficio en el manejo de la máquina; de los factores de control de la producción; de las condiciones de los salarios y horas de labor, y pequeños detalles similares de su experiencia común en el oficio. Pronto se encontraron al salir juntos del trabajo al final de la jornada o se buscaban para platicar a la hora del almuerzo. Conforme pasan los años ellos han tenido más intimidad, usando el nombre de pila al saludarse, lo cual es una forma que por lo general se usa entre un adulto y un niño o entre parientes de grado bastante cercano.

Cuando el sindicato estaba en proceso de formación, Juan y sus dos amigos se relacionaron mucho y participaron de otro conjunto de experiencias comunes y específicas, lo cual, según Juan, profundizó su cariño recíproco. Ellos comenzaron por invitarse mutuamente a visitar sus hogares en los días domingo y en ocasiones festivas, cuando sólo parientes, y acaso vecinos, eran invitados usualmente. Sus esposas llegaron a conocerse en estas visitas dominicales y sus hijos jugaron juntos, reforzando los lazos de amistad de los hombres. Actualmente, cuando Juan bebe, por lo general no lo hace solo sino que busca a uno de sus amigos, o éstos lo buscan a él. Tanto él como los otros dos hombres hablan de cada quien como un amigo, una designación socialmente diferente de la que usan los campesinos canteleños para referirse a todos los no parientes según sean conocidos o desconocidos, o para referirse en términos especiales a un vecino que viva cerca o lejos.

Este es el tipo y el grado clásico de la relación de amistad que se ha derivado del rol ocupacional del obrero. Algunas cosas acerca de esto son notables. Los vínculos de amistad no se extienden más allá de la familia nuclear. Más allá del lugar de trabajo, la amistad todavía depende de una invitación si se trata de interacción social prolongada, la cual es restringida a los domingos y ocasiones festivas. Las familias de los hombres están necesariamente envueltas en esta relación y debe establecerse la compatibilidad entre sus esposas si la relación ha de florecer. Las consideraciones sobre la posición social dentro del pueblo no juegan ningún papel en la formación o continuación de una amistad, y las diferentes posiciones de autoridad en el trabajo no son un obstáculo para su formación. Si las amistades son formadas en el trabajo, se hacen con aquellos que están inmediatamente conectados con el mismo: los hiladores son amigos de los hiladores, los tejedores conocen a los tejedores, y los operadores de las máquinas extienden sus vínculos con los de la misma ocupación. A mi entender, no hay ningún caso de amistad formada en la fábrica que haya salvado los límites de los distintos departamentos. Las diferencias con respecto a nuestro propio patrón de amistad son obvias, pero la base para formar amistades es similar a la nuestra en cuanto que ella gira sobre el núcleo de experiencias compartidas y se desarrolla entre un grupo reunido por razones funcionalmente específicas.

Estímulo de los vínculos de amistad en el sindicato

La fábrica parece ser el tipo de estructura de asociación que más conduce a la generación de vínculos de conexión personal e íntima más allá de la definición de lazos de sangre y matrimonio. La formación del sindicato de trabajadores de la fábrica dio nacimiento a una organización que también operaba sobre los principios de contacto personal inexistentes antes de la fundación de la fábrica. En el proceso de organización, los hombres que ya estaban personalmente familiarizados con los otros por medio de amistades formadas en la fábrica, procuraron reclutar canteleños en la entidad con base en la convicción ideológica, acentuando lealtades personales tanto a la idea de la sindicalización como a los individuos que formarían la membresía del sindicato. Este recurso tuvo muy limitados resultados. Pero los éxitos del sindicato en obtener ventajas materiales y económicas atrajeron a la mayor parte de los trabajadores de la fábrica a una organización basada en la ideología colectiva del sindicalismo democrático y los vínculos interpersonales de lealtad y solidaridad, para promover la realización social de la idea.

Aquellos individuos que dentro del sindicato eran responsables de las funciones ejecutivas y administrativas, a menudo formaban amistades. Pero también entre todos los miembros las condiciones de interacción en torno a problemas comunes requerían comunicación íntima acerca del trabajo y los salarios, con los riesgos y contingencias concomitantes respecto de la continuidad y condiciones de empleo; esto proporcionó un fértil campo para la evaluación individual de las personas y para el crecimiento de lazos sentimentales y afectivos entre ellas.

El sindicato y la fábrica proporcionaron la base circunstancial para la formación de amistades y éstas se limitaron, casi sin excepción, a aquellos que habían pasado por estas experiencias sociales. Pero, además, el sindicato, la fábrica, los clubes deportivos —todos exclusivos para los empleados de la fábrica— proporcionaron nuevas bases para la asociación y nuevas clases de experiencias sociales aun para aquellos que, por alguna razón, no trabaron relaciones de amistad.

El crecimiento de una estructura de acción especial basada en intereses comunes y sostenida por lazos de amistad, es un cambio de primera magnitud. Su efecto completo no se ve en la vida personal de los participantes, sino en la base cambiante del poder político y social, que será tratada en la sección sobre modificaciones institucionales.

CAPITULO VI

VIDA RELIGIOSA Y VISION DEL MUNDO: COMPARACION DE LAS PRACTICAS Y CREENCIAS DE LOS TRABAJADORES DE LA FABRICA Y DEL CAMPO

En este capítulo se busca hacer una comparación de unos cuantos aspectos que persisten en la vida de los trabajadores de la fábrica y en la de aquellos que no trabajan en la misma; tales aspectos son las esferas de la religión y creencias, y de la visión del mundo. La vida religiosa, el contenido simbólico y el componente social que la acompañan pueden dividirse convenientemente en tres partes, a saber: (1) La experiencia cristiana organizada, (2) El catolicismo folk, y (3) Las creencias esotéricas. Cada parte de la vida religiosa total tiene un contenido y una estructura analíticamente distintos.

LA EXPERIENCIA CRISTIANA ORGANIZADA

La religión católica es la más formal y está representada en el municipio por el edificio de la iglesia y por el sacerdote que reside en Cantel desde hace más de diez años. La iglesia funciona nominalmente de acuerdo con el dogma y ritual de la Iglesia Romana. Como extensiones de su misión espiritual mantiene dos organizaciones seculares en Cantel: la *Acción Católica de Cantel* y la de *Madres Cristianas*. Para los católicos reconocidos, la iglesia regula los ritos de pasaje del bautismo, matrimonio y muerte. Las imágenes son alojadas en el edificio de la iglesia donde se ofician las misas y se ofrecen oraciones privadas. La iglesia observa días de descanso y festivos de acuerdo con el Edicto Romano, agregando y haciendo énfasis en descansos y observancias de España y de Hispano-américa. Mucho de lo que es considerado importante por el sacerdote y sus informados seguidores, los catequistas —aquellos que conocen el catecismo—, no es parte de la variedad local de creencias y ritos católicos. Por ejemplo, mientras yo estuve en Cantel se celebró el año mariano, de acuerdo con la Santa Sede, pero ninguna observancia especial o devoción por María fue llevada a cabo, ni fueron muchos los que se dieron cuenta de que se trataba de un llamado a todas las comunidades católicas. Para nuestros propósitos, entonces, podemos considerar a la iglesia católica de Cantel como una organización cuyo objetivo ostensible es incorporar los preceptos católicos y la moralidad a la vida local. Esto es realizado por un sacerdote residente con la ayuda de un asistente pagado y varios ayudantes voluntarios. El resto del personal de la iglesia está formado por los fiscales, nombrados a través de la jerarquía cívico-religiosa que custodia la iglesia del pueblo y tiene bajo su cuidado los atuendos de las imágenes alojadas en la misma. La iglesia local está relacionada con la jerarquía católica por medio del obispo de Quezaltenango que hace visitas periódicas a la población y transmite instrucciones al sacerdote. Más allá de este nivel de autoridad, las relaciones de la iglesia local se desvanecen en las más remotas perspectivas de la jerarquía, sin efectos sociales visibles en Cantel.

La otra área de experiencia cristiana organizada está representada en la comunidad por los cuatro grupos protestantes. Hay tres de procedencia norteamericana y uno de origen guatemalteco: presbiterianos, adventistas del séptimo día, pentecostales y crameristas, que es la derivación guatemalteca del *Plymouth Brethren*. Todos tienen edificios que son casas privadas más o menos adaptadas y convertidas en templos. Sólo los presbiterianos tienen un pastor local residente, el cual es un canteleño que se gana la vida en esa forma. Los demás dependen en cuanto a la actividad espiritual de otros que residen en Quezaltenango, Momostenango o la ciudad de Guatemala, pero cuentan con dirigentes locales en el sentido de guías laicos de la congregación, quienes tienen a su cargo los detalles y obligaciones que dan continuidad local a estas organizaciones. Nadie sabe exactamente cuántos protestantes hay en el municipio, debido a la aceptación parcial de la nueva fe en algunos de los que asisten a las iglesias protestantes. El mejor cálculo que pude hacer, basado en el número de miembros reportados por los mismos protestantes y la campaña contra el protestantismo que dirige el sacerdote católico, indica una cantidad que oscila entre 450 y 500 protestantes para todo el municipio. El grupo más grande es el presbiteriano, le sigue el cramerista, luego el adventista y finalmente el pentecostal. Para los protestantes su secta oficia en el matrimonio, en el bautismo y en los ritos fúnebres, y también imparte instrucción religiosa. Los adventistas dirigen una escuela primaria en el pueblo, a la que asisten tanto adventistas como no adventistas. La diferencia significativa entre las iglesias protestantes y la católica radica, por supuesto, en la tesis del ingreso voluntario. En Cantel esto se manifiesta en la continua vigilancia de la conducta diaria de un miembro de una secta protestante, por sus hermanos, para averiguar si él actúa de conformidad con el espíritu del culto. En sentido negativo, esto significa abandonar ciertos vicios personales menores, tales como fumar, beber y jurar en público; en lo positivo, significa la adopción de lazos estrechos hacia los otros miembros de la secta, usando el término "hermano", actitudes más amistosas hacia los extraños, y la obligación de predicar el evangelio a quien quiera escucharlo.

CATOLICISMO FOLK

La segunda división importante en la vida religiosa de Cantel, puede denominarse catolicismo folk. No hay elemento folk en el protestantismo, puesto que sus prácticas están siempre supervisadas por los fieles, para que estén de acuerdo con el credo y prácticas conocidos y prescritos. El catolicismo folk se refiere a aquellos aspectos de las creencias y prácticas religiosas que han crecido alrededor del núcleo del rito y dogma católicos, ya que la gente de Cantel ha adaptado, por más de cuatro siglos, partes del funcionamiento formal de la Iglesia Católica, a sus necesidades y comprensión locales. Es el crecimiento espontáneo de la interacción de una pequeña sociedad indígena con un aspecto de una tradición civilizada. Como tal, muchos de sus elementos son de origen católico, algunos son de extracción pagana, y muchos son el resultado de la dinámica de estos dos sistemas actuando el uno sobre el otro. Pero como una entidad social contemporánea o un complejo cultural, ésta es una cosa nueva que no puede reducirse a las formas culturales que la originaron. En Cantel, el catolicismo folk es la parte más grande e importante de la vida religiosa de la gente. Para muchos esto es casi la totalidad de la vida religiosa; para todos, excepto los protestantes, es el núcleo de las creencias y técnicas sobrenaturales.

Las sociedades religiosas son un elemento de la religión folk. Trece sociedades religiosas funcionan más o menos independientemente, pero con la aprobación de la Iglesia Católica, y cada una está dedicada al culto de un santo determinado. Estas sociedades son democráticas en cuanto a sus miembros y liderazgo. Un hombre llega a ser miembro de ellas voluntariamente, según su predilección por uno u otro de los santos de la lista. Los funcionarios de una sociedad dada son seleccionados por los miembros después de que aquéllos expresan su anuencia para tomar a su cargo el cuidado y alojamiento de la imagen (en algunos casos sólo se trata de un retrato grande del santo). Algunas veces dos sociedades se fusionan si no hay suficientes miembros en cierto año o si ninguno desea asumir la responsabilidad. Los miembros a menudo cambian de una sociedad a otra, y en diferentes períodos de la historia de Cantel una sociedad puede ser más popular que otra. La característica esencial de estas sociedades es la dependencia al estado actual de devoción y popularidad que se concede a un santo determinado. Ellas representan el aspecto de moda de la religión de origen católico.

La importancia del rito religioso relacionado con cada santo va de la mano con el grado de riqueza que se exhibe en estas sociedades. La persona que asume el cargo, o sea la tarea de cuidar de la imagen ese año, da una fiesta en fecha cercana a la recepción ritual de sus funciones, y la buena organización y el boato de esta fiesta, además del desembolso para un nuevo vestido para el santo, es tanto un signo de posición social como una devoción religiosa. El cargo es tomado, por lo general, porque la persona ha solicitado y recibido algún favor del santo, y ésa es su manera de mostrar su gratitud. Pero en las sociedades más populares, *Justo Juez* y *Soledad,* hay una ansiosa competencia para obtener el puesto. Los gastos son grandes —oscilan entre doscientos y trescientos quetzales en la recepción— y el honor social que representa el recibir tal puesto es muy grande. Las sociedades más pequeñas pueden costear sus cambios de dignatario por una cantidad tan pequeña como veinte quetzales, y hay escasa competencia por estos puestos poco honoríficos. Los ritos en cualquier entrega de santos son una versión mezclada de oraciones españolas y latinas, por lo general dirigidas por un *cantor,* que es un hombre versado en cantar himnos y oraciones tanto en español como en latín, quien presta ese servicio por una pequeña remuneración. El elemento importante en el ritual de una sociedad no es la observancia estricta de la conducta acostumbrada, aunque esto es parte de la ceremonia relacionada con el santo, sino la presencia de discípulos voluntarios que muestran su devoción al santo, quienes le piden que derrame sobre ellos las bendiciones que estén dentro de su poder, puesto que cada santo tiene virtudes especiales y es más apto para manejar ciertas áreas de lo sobrenatural, de acuerdo con los poderes que le son inherentes.

El segundo elemento en el catolicismo folk es el sistema de hermandades religiosas o sea las cofradías, las cuales funcionan conjuntamente con la administración civil del municipio, por lo cual, el hecho de que se traten aquí sólo en su dimensión religiosa rompe un tanto la realidad de las cosas, no obstante que tal hecho intentaré subsanarlo más adelante. Las cofradías funcionan con el consentimiento tácito y la aprobación reticente de la Iglesia Católica. Recientemente ha habido conflictos entre las cofradías y la Iglesia por ciertas prácticas consideradas como una violación al dogma, pero la fricción es rara vez evidente y conduce al conflicto sólo cuando la Iglesia intenta suprimir las actividades de las cofradías o intervenir en ellas. Las cofradías no desempeñan ahora una función formal en la Iglesia, a pesar de que hace unos quince años actuaban durante la misa regular y otros ritos católicos bajo el cuidado del sacerdote. Hay siete cofradías que se dividen de acuerdo con el lenguaje común y también de hecho, en tres grandes y cuatro pequeñas. Las primeras tienen mayor número de miembros y mayor importancia religiosa; de ahí que se derive más honor del servicio en ellas.

Cada cofradía está organizada en torno a un santo particular, y la responsabilidad de los cofrades, como se llama a los integrantes de la hermandad, consiste en el cuidado de ese santo. Este cuidado incluye las preces debidas, la celebración del día del santo, marchar en las procesiones, mandar decir misa a su debido tiempo, mantener la cofradía surtida de candelas, incienso y vestimenta para el santo, preservar y reparar la propia imagen. Los ritos son tradicionales y realizados por hombres designados para los servicios del año.

En efecto, las cofradías son corporaciones a perpetuidad, cuyos bienes pertenecen al santo y pasan cada año a diferentes personas, la tarea de las cuales consiste en realizar las obligaciones que les corresponden como dignatarios de la corporación. A diferencia de la devoción y el cuidado que se mantiene por los santos de las sociedades, la obligación de ser cofrade es de carácter público; ello incluye la delegación de obligaciones sagradas por parte de la comunidad en ciertos miembros que son elegidos en atención a su edad y servicios previos, para estos trabajos comunales. El personal de toda cofradía es nombrado cada año por el Comité Organizador de Cofradías, valiéndose de una lista de familias que no han servido recientemente o a las cuales ha llegado su turno en opinión del comité. Esta nominación era hecha anteriormente por la autoridad municipal por recomendación de los principales —los ancianos del pueblo— que han servido en los puestos más altos de las ramas civil y religiosa de la jerarquía. Ahora un hombre puede negarse a servir cuando es llamado a cumplir con el deber de cofrade, pero tal negativa es todavía algo raro. Las cofradías funcionan sin la ayuda formal de empleados.

Básicamente las cofradías contienen una adaptación informal de ritos y letanías católicos combinados con creencias na-

tivas respecto de los santos de especial poder o área de acción.
Por supuesto, hay costumbres menores que son elementos indígenas ajenos a la práctica católica europea, y en algunos casos,
peculiares de Cantel: la lentitud de la marcha de una procesión, lo cual denota respeto; el balanceo del santo antes de
entrarlo a una casa; el encender la candela diaria; la suspensión de figuras de cera en torno a los santos cuando se piden
ciertos favores; el golpear ligeramente los pies del santo con
una moneda antes de ofrecer una oración; y la quema de incienso con ofrendas. Pero la importancia social del sistema
de cofradías estriba en el hecho de que todo el pueblo está
relacionado con los santos y lo sobrenatural, por medio de sus
delegados que han sido designados, y que no se requiere de
los individuos un ritual personal o devoción para el homenaje
debido y el mantenimiento de relaciones armoniosas con lo
sagrado. En el funcionamiento ideal del sistema, cada familia
cumple su obligación cuando llega su turno; mientras tanto,
el bienestar de cada familia está encargado a aquellos que están
sirviendo a los santos y a "Dios" en su nombre y con su sanción.

El sistema de cofradías es así un aspecto medular de la
religión comunal y tanto más cuanto más está vinculado a la
estratificación por edad y prestigio al funcionar conjuntamente
con la jerarquía civil. El término 'costumbre', que denota la
conducta tradicional de la gente considerada tanto necesaria
como evidente y justificable en sí misma, se usa principalmente
en relación a las cofradías y sus prácticas. La Iglesia organizada mantiene cierta hostilidad hacia las cofradías, porque desde su punto de vista el catolicismo de ellas es irregular, y
porque el sistema de cofradías, más que la doctrina y la práctica formales de la Iglesia, es el punto fuerte de la fidelidad
religiosa.

CREENCIAS ESOTERICAS

El tercer elemento significativo en la vida religiosa de Cantel puede estudiarse bajo el rubro de creencias esotéricas. Yo aplico este título a aquellos oficiantes que no están organizados en algún grupo social, pero forman una categoría de hombres y mujeres poseedores de conocimientos ocultos de carácter sagrado y a quienes la sociedad como un todo, atribuye poderes y técnicas de contacto y comunicación con una serie de elementos sobrenaturales. Los canteleños creen en este aspecto de lo sobrenatural.

Los oficiantes de estas creencias y técnicas esotéricas son de dos clases: ʔ*ax*ʔ*iȼ*, el hechicero, y ʔ*ax*ʔ*ix*, el adivino y hacedor de costumbre, y algunas veces especialista médico. El término general que cubre todas las especialidades esotéricas es *chimán* o *sanjorín,* el cual usaré puesto que nadie en el pueblo reconoce poseer la habilidad de ejecutar la magia mortal del ʔ*ax*ʔ*iȼ*, aunque todos los chimanes saben cómo se hace y probablemente lo hacen. La religión esotérica tiene por centro el calendario adivinatorio de 260 días de los antiguos mayas, y cada chimán usa los dioses de los 20 días y el sistema del número 13 en combinación con los frijoles y cristales de cuarzo, como la médula de su rito. Los que creen en este sistema o más propiamente los clientes de los chimanes, no forman una agrupación especial ni tienen otras relaciones permanentes con los chimanes excepto las de clientes y pacientes. La persona trae su petición al chimán —la cual puede ser la interpretación de un sueño, el diagnóstico de una enfermedad, petición de buena suerte, o predicción del futuro inmediato—, ejecuta los ritos y paga los honorarios establecidos para su caso particular. Ningún hombre se gana la vida como oficiante. También existe alrededor de los chimanes un complejo de creencias en "los dueños de los montes" que son lugares especiales de gran santidad y gran peligro, los cuales serán tratados en la sección sobre la visión del mundo.

Incluida en la religión esotérica está la imagen llamada "San Simón" o "Judas". Esta imagen, alojada en la residencia permanente de una de las cofradías, es una figura ladina, hecha de paja, adornada con una máscara de madera, un bigote negro pintado, y anteojos oscuros. "San Simón" es un "escondido", una imagen no expuesta a la vista pública. Es considerado como el centro de los poderes tenebrosos del demonio, pero puede apelarse a él para favores o dádivas especiales. Su culto es a base de pago y de naturaleza voluntaria. Se le adora por medio de una quema de copal (nunca usado en la iglesia o en las cofradías o sociedades) y ciertas invocaciones quichés no derivadas de la corriente del catolicismo folk.

He enunciado las divisiones religiosas de Cantel sin mostrar su integración funcional y puntos de contacto y de fricción, lo cual me reservo para tratarlo en la sección sobre las modificaciones culturales e institucionales. Las he enunciado a fin de estudiar la naturaleza de la participación del trabajador fabril y del trabajador agrícola en ellas y su adscripción a las mismas, y para averiguar si tales diferencias, tal como ellas aparecen, pueden ser atribuidas al particular papel ocupacional del trabajador de la fábrica.

COMPARACION DEL AGRICULTOR Y EL OBRERO EN SUS ACTIVIDADES RELIGIOSAS

En la iglesia católica

El obrero muestra la misma clase y el mismo grado de participación religiosa en la Iglesia Católica y sus organizaciones seculares conexas, que el que no lo es. Los hombres no

acostumbran asistir a la iglesia a menos que tengan alguna
razón propia tal como una crisis de la vida o algún ritual público
que requiera su presencia. De 40 a 50 hombres parecen ser los
comulgantes regulares en la misa, junto con unas 80 a 100
mujeres. Estos constituyen el puñado de católicos locales que
se han sumergido en la fe, junto con aquellos pocos que se
encuentran rezando la novena por algún motivo o haciendo
penitencia, hechos por lo general impuestos a sí mismos por
medio de una definición tradicional de los deberes religiosos.
Este grupo de devotos asistentes está dividido más o menos
proporcionalmente entre las categorías ocupacionales en Cantel
y parece no estar relacionado con ellas. Trabajadores y no trabajadores son socialmente equivalentes en su asistencia o
inasistencia a la actividad religiosa católica. En las otras categorías formales de la iglesia, tales como los sacramentos y
el diezmo, parece haber alguna diferencia. Los obreros tienen
proporcionalmente más casamientos por la iglesia que quienes
no trabajan en la fábrica, debido a su capacidad para cargar
con los gastos. Esto sólo indica la mayor incidencia de realización de un fin cultural común de parte de los trabajadores
de la fábrica, más bien que una modificación de tales fines.
En cuanto al bautismo y funerales, todos los canteleños que
son católicos pasan por esos ritos. La confesión es rara, excepto
en el lecho de muerte, y según los dos padres que estuvieron
al frente de la parroquia durante mi permanencia, sólo un
puñado de personas se confiesa regularmente. En este puñado
hay algunos trabajadores de la fábrica.

En cuanto a la creencia y conocimiento de la doctrina
y credo de la Iglesia Católica, los trabajadores muestran los
mismos puntos fuertes y débiles que la mayoría de la población.
Para unos y otros, la creencia significa el reconocimiento de
la primacía de Cristo y los santos en el mundo sobrenatural;
esto no implica un conocimiento o adscripción a las doctrinas o

credos oficiales de la Iglesia organizada, ni se interpreta como
una limitación amplia al libre juego de la conducta personal o
una mayor entrega a la moralidad. La moralidad de la comunidad puede interpretarse como sagrada, pero la calidad de
lo sagrado radica fuera de las enseñanzas formales de la Iglesia
Católica. Los elementos más comunes de la creencia católica
en esta comunidad —purgatorio, paraíso, la divinidad de Cristo,
el culto a la Virgen María, y el bautismo— son tomados en
su valor real por aquellos que los sustentan.

Todos los católicos creen en la misma lista de santos,
artibuyendo a cada uno la definición local de su poder mila-
groso; todos participan en el mismo calendario festivo al celebrar
los días religiosos del año sagrado; todos distinguen los mismos
pecados, aunque éstos no estén en las categorías de pecados
veniales o mortales; todos pueden repetir el Padrenuestro,
el Avemaría y el Credo, teniéndolos como las principales
letanías y expresiones de fe. No hay necesidad de detallar
más aún los elementos de creencia común de los canteleños.
La generalización es obvia: en el plano cultural las creencias
y comprensión de los aspectos formales de la religión católica
son uniformes; quienes son católicos lo son con la misma fuerza
y la misma clase de fe. La fe puede que no sea una genuina
muestra de la religión católica, ni de una devoción ardiente,
pero se acomoda bien a la visión local de lo sobrenatural. La
uniformidad de las creencias en el obrero y el labrador, no es
una causa de asombro ni cosa que amerite explicación. La
uniformidad tiene su origen en el hecho de que ningún nuevo
principio de credo y doctrina católicos ha venido a inyectar
creencias discordantes o diferentes, y la gente no inventa otras
nuevas. Es así como aquellos que son católicos lo son en la
misma forma, y el sistema de creencias de su catolicismo es
entonces un elemento cultural al que alguien se adscribe o no.

La Iglesia, dirigida por el sacerdote residente, ha hecho una guerra intermitente al aspecto folk del sistema de cofradías, pero ésta es una guerra negativa que consiste en atraer gente de las cofradías hacia el culto y lealtad de la Iglesia, hablándole a esa gente de las cosas que las cofradías hacen y que no son parte de las prácticas sancionadas por el catolicismo. Este ataque no modifica el contenido formal de la religión de la Iglesia, ni tampoco el del sistema de la cofradía, puesto que los cofrades persisten en sus creencias y prácticas con la bendición de los representantes locales de la Iglesia o sin ella. Esto ha modificado las relaciones de poder entre los dos aspectos de la fe católica, y quizás ha separado a algunos elementos del personal disponible para el servicio de la cofradía, pero sus efectos en cuanto a llevar las creencias y prácticas de la cofradía hacia la obediencia a la doctrina oficial han sido nulos.

En las sectas protestantes

Los trabajadores (u obreros) se han visto atraídos hacia el protestantismo con menor frecuencia que los agricultores o los artesanos. Del censo obtenido en las tres áreas pobladas y de las listas de miembros de las iglesias protestantes, se deduce que el protestantismo les es más atractivo a los artesanos, muchos de los cuales son ladinos o indígenas ladinizados, ya que el 10% de las familias de obreros, el 13.5% de las familias de campesinos y el 17.9% de las familias de artesanos son protestantes. El protestantismo emerge como la religión del hombre marginal, cuando esto se observa desde la perspectiva de toda la comunidad. Convertirse al protestantismo implica una reforma de los hábitos personales: dejar de ingerir bebidas alcohólicas, de fumar, de pegarle a la mujer y en general, de observar un comportamiento relajado. Los canteleños que desean cambiar de hábitos son aquellos que, por alguna razón,

no se sienten a gusto en su ambiente social y cultural. La
rareza relativa con que los obreros se convierten al protestantismo es una indicación de que emplearse en la fábrica no es,
en sí, una fuente de tensión.

En la iglesia de la fábrica

Sólo un aspecto de la religión católica puede decirse que
pertenezca casi exclusivamente a los obreros y que, por lo tanto,
pueda atribuirse a la fundación de la fábrica. En el poblado
donde viven los obreros de la fábrica, cerca de las instalaciones
de la misma, existe un sector religioso de la comunidad agrupado
en torno al moderno edificio de la iglesia erigido por la compañía, y en ella se celebra la misa todos los domingos por la
tarde. La concurrencia de feligreses a esta iglesia no es mayor
que la de la misa de la mañana en la iglesia del pueblo, pero
son mayormente obreros de la fábrica los que asisten a esa
misa y entre ellos, especialmente las mujeres o esposas de los
obreros. La iglesia de la fábrica y sus actividades no marcan un
rumbo claramente distinto, pero sí crean cierto separatismo
religioso en los obreros.

La comunidad de la fábrica tiene su propio santo patrono,
no oficial, que es San Antonio —una imagen regalada a los
obreros por un exempleado—, el cual es considerado por la
comunidad de la fábrica como su santo patrono y objeto de
especial devoción. Ello le presta a la comunidad de obreros
una identidad simbólica distinta de los otros segmentos de la
sociedad. Sin embargo, no es ésta una distinción de carácter
divergente. Otras comunidades dentro del municipio —Estancia, por ejemplo, con sus imágenes del Señor de Esquipulas—
tienen sus símbolos locales y cierto grado de identidad simbólica.
Pero todos los poblados y sus respectivas poblaciones están

bajo la protección simbólica de la santa patrona de todo el municipio, la Virgen de los Angeles.

Los obreros de la fábrica organizan una celebración anual en honor al santo patrono. Esta fiesta es costeada por las contribuciones voluntarias de los mismos obreros ya que no hay una organización de cofradías que se encargue del costo y manejo de la misma. Se nombra un comité formado por miembros de la comunidad de obreros, cada año, para hacerse cargo de todo lo pertinente a la celebración. Siempre hay hombres deseosos de trabajar con el comité, ya que los hombres de la fábrica son muy devotos de San Antonio.

La importancia de este culto religioso reside en el hecho de que por medio de un símbolo místico organiza e integra a los nativos canteleños y a los foráneos residentes, quienes viven dentro de un conjunto de arreglos espaciales determinados por los requerimientos de la producción centralizada de la fábrica, en una misma comunidad social. Para los canteleños, esto no ocasiona una transferencia de mayor unidad simbólica sino un sentimiento de solidaridad local; para los extraños provee una comunidad de símbolos que les facilita la vida con los canteleños con quienes deben convivir. El aspecto representado por San Antonio dentro del culto de la fábrica se entiende mejor, según creo, no como un cambio de naturaleza de las creencias religiosas, sino como una proliferación de las mismas y de sus concomitantes medios simbólicos e integrativos.

En las sociedades de los santos

La población obrera participa en las sociedades de los santos, al igual que la no obrera. En las sociedades religiosas que conozco, los obreros participan con igual frecuencia que los no obreros. En las sociedades más populares, hay más obreros así como campesinos. Sin embargo, los obreros han modificado estas sociedades. Algunos miembros sostienen que en la recepción del cargo de algún santo, en los últimos años, son ellos los que han incrementado el gasto pródigo. Los agricultores o jornaleros han mantenido esta tradición, y el modo actual de recibir el cuidado de un santo implica, por tanto, una gran exhibición de los gastos y de reconocimiento y aprobación pública de la prodigalidad como una indicación de la intensidad de la devoción y como criterio para conceder honor social. Los miembros que trabajan en la fábrica, además, han modificado el período de exhibición de tres días de la imagen del santo de la casa, antes de que salga en procesión por las calles. La modificación es menor generalmente, pero se relaciona con la esfera de la tecnología industrial, como en el caso de la imagen de Cristo llamada Justo Juez. Esta imagen estaba decorada con una serie de bombillas alrededor de la corona y en el anda, en lugar de las candelas tradicionales. Esta conexión eléctrica para la imagen fue hecha por un cantelense que era electricista del taller de electricidad de la fábrica.

Los mismos ritos son practicados en todos los rezos y ceremonias relacionados con el intercambio anual, ya sea que éste incluya un obrero de la fábrica o no, e independientemente del número de obreros o agricultores que resultaren ser miembros de la sociedad. Las sociedades religiosas no han cambiado en cuanto a contenido, número o creencias asociadas, por el hecho de que algunos de los miembros sean ahora empleados industriales.

En las cofradías

En el ejercicio de las creencias religiosas, es principalmente en los aspectos *folk* donde aparece una diferenciación entre obreros y no obreros, aunque la divergencia no es grande. Hasta el año de 1954, había seis cofradías activas en Cantel. Siete de estas hermandades están organizadas y siete existen en la mente de la gente, aun cuando una no está activa actualmente y posiblemente nunca más vuelva a funcionar.

El personal de las cofradías más grandes consiste en un alcalde, que es jefe y que recibe formalmente al santo por el período de un año; un mayordomo, que sirve de suplente de alcalde; seis cofrades, que desempeñan tareas bajo las órdenes del alcalde y del mayordomo, tres de los cuales se turnan cada semana. Las cofradías más pequeñas sólo cuentan con cuatro cofrades dentro de su organización.

El comité nominador tiene dificultades en cuanto a encontrar miembros para las cofradías, y a ello se debe la inactividad temporal de la pequeña cofradía de San Pedro. La dificultad de encontrar individuos deseosos de servir en las cofradías se debe, en parte, a que ya no están disponibles 161 familias convertidas al protestantismo, en parte a la renuencia de los trabajadores de la fábrica a servir, y en parte a la relación cambiante de la jerarquía social con la religiosa y las sanciones de autoridad que la acompañan. Los mecanismos que compelen al individuo a servir en el sistema de cofradías son sanciones informales en cuanto a desempeñar servicio público y ser un buen ciudadano. Las recompensas por el servicio son el honor y el prestigio, y eventualmente, tener voz y voto en los asuntos del pueblo cuando se ha servido en los puestos más altos de cualquiera de las ramas de la jerarquía cívico-religiosa. Los obreros de la fábrica se muestran un poco más renuentes a servir en las cofradías que la población en general. En efecto, en el último año un 40% del personal de las cofradías pertenecía al cuerpo de trabajadores de la fábrica, que es una proporción mayor de la que corresponde. Sin embargo, los miembros del comité me dijeron que es generalmente más difícil inducir a los obreros de la fábrica a prestar servicio en las cofradías que a los no obreros, y ese año pudo haber sido excepcional. Juzgando por conversaciones sostenidas con obreros elegibles, jóvenes o de edad mediana, que nunca habían servido en las cofradías, creo que esto es cierto; y sus razones para no prestar servicio o su renuencia a prestarlo reflejan alguna influencia de la fábrica en cuanto al empleo de su tiempo.

Hay una pequeña pérdida de tiempo cuando se sirve en una cofradía, especialmente durante los fines de semana, así como también una pérdida monetaria. Muchos obreros respondieron a esto diciendo que no querían pasar su tiempo "libre" en la cofradía o estar obligados a tener que estar presentes en las muchas ocasiones rituales en las que los cofrades tenían que estar, o acompañar un funeral al morir un anciano, o pasar largas horas encendiendo candelas al santo de la cofradía y a su imagen correspondiente en la iglesia. Los obreros preferían servir a la comunidad a través de la rama civil de la jerarquía, diciendo que así prestaban un servicio público tan bien como si sirvieran en cargos religiosos; aun más, había menos puestos por los que tenían que pasar y se cumplía más pronto con el deber para con la comunidad.

Este tipo de declaraciones por lo menos refleja la orientación a las nuevas recreaciones entre los obreros de la fábrica, así como lo reflejan sus viajes más frecuentes a Quezaltenango los fines de semana. A un nivel más general, reflejan la decadencia del prestigio institucional del sistema de cofradías en los asuntos internos del pueblo, logrado mayormente a través de los esfuerzos de los jóvenes líderes sindicales. La renuencia de parte de los obreros a servir en las cofradías debe ser sólo un poco mayor que la de los no obreros, pues de no ser así creo que sería fácil encontrar personal para la séptima cofradía. Una conclusión mucho más defendible sería que el sistema de cofradías está pasando por un ciclo de apoyo colectivo de fuerte a débil, lo cual según entiendo por la información dada por informantes más viejos es cierto de este sistema; se encuentra ahora en uno de sus períodos más bajos, y en este punto el obrero de la fábrica lo apoya menos que el no obrero.

Digo que el sistema está solamente atravesando un ciclo, porque encuentro que tanto los obreros como los no obreros todavía se adhieren al sistema de valores de apoyo a la cofradía, a la importancia de la cofradía y a la necesidad de la existencia de las hermandades religiosas, y por el importante papel que tal sistema desempeña en estructurar a la sociedad entera sobre la base de la edad y el prestigio. Es el único mecanismo que, en conjunción con la rama civil, relaciona a familia con familia de una manera ordenada y hace posible las relaciones entre los miembros de la comunidad dentro del molde tradicional y formal sin necesidad de una interacción personal prolongada.

El obrero cree que la comunidad debe estar en armonía con los santos y las esferas particulares del mundo sobrenatural que aquéllos controlan, y que esa armonía puede lograrse a través del cuidado de los santos por las cofradías en nombre del público. Al igual que el labriego, siente que está siendo representado cuando los cofrades dicen sus oraciones, marchan en sus procesiones y desempeñan sus roles rituales; se sentiría tan incómodo como el no obrero si las cofradías no existieran. El obrero comparte la aprobación y fe contenidas en los símbolos del sistema de cofradías —los escudos de plata del cargo, sus letanías, su ofrenda de candelas, incienso y redoble de tambor, y todos los adornos y galas sagradas que él considera como costumbre—, y reacciona de igual modo que el no obrero contra los esfuerzos del sacerdote católico por expurgar las cofradías de algunos de sus dramáticos pero nada ortodoxos elementos de ritual y creencias. En otras palabras, no hay divergencia en cuanto a la adhesión emocional o intelectual al catolicismo folk de parte de los obreros. La divergencia entre las creencias y la práctica de éstas parece ser un poco mayor entre los obreros de la fábrica, y esto parece estar relacionado con otras posibilidades de empleo del tiempo disponible en una situación en la que el prestigio de las cofradías está, según considero, en uno de sus recurrentes puntos bajos.

En las prácticas esotéricas

La extensión de la adherencia del obrero a los dogmas de las creencias esotéricas no es tan fácil de discernir. Los clientes de los chimanes no forman parte de un grupo social visible y por tanto no muestran una emergencia social por la que pueda medirse su participación. En este caso uno procede solamente deduciendo la fe, del conocimiento de las personas que recurren a los servicios de los chimanes. No conocimos a ningún adulto en Cantel que no supiera de la existencia del calendario adivinatorio sagrado o que ignorara los significados relacionados con los dioses de los días que figuran en ese calendario. Sólo los especialistas saben el ordenamiento y la numeración de los dioses de los días, pero puede decirse que todos poseen un fragmento de tal conocimiento especializado. Después de hablar con nueve chimanes activos en el municipio, encontré que su costumbre está mezclada en cuanto a obreros y no obreros. Parece que no hay nada en el rol ocupacional del obrero de la fábrica o en las experiencias del trabajo industrial que pudiera apartar al obrero de la consulta con especialistas esotéricos en las cosas en que éstos son considerados expertos. He visto a obreros de la fábrica en consulta con chimanes en el mismo estado de temor reverente y respeto que se advierte en los no obreros, y las obreras de la fábrica buscan frecuentemente a Manuel, el alcalde no oficial, para quejarse de que han sido embrujadas, mostrando así su creencia en los poderes de los chimanes. Hay un sentimiento general de que los chimanes se comunican por medio del uso de sus conocimientos esotéricos y ritos con las fuerzas espirituales que son a veces muy importantes para el bienestar del individuo, y éste es un sentimiento al que se adhieren los obreros. Tan así es, que uno de los chimanes practicantes maneja una de las máquinas hiladoras de la fábrica. Esta ocupación no lo ha afectado ni en su práctica como chimán, ni en su reputación. En este individuo se combinan los elementos de contenido cultural más reciente con los más antiguos, sin que exista un conflicto o anomalía aparente.

Parece que ha habido un cambio en el papel general de los chimanes, pues siempre habían practicado tanto la curación como la adivinación, como funciones paralelas, pero ahora los aspectos adivinatorios dominan su papel. No puedo estar seguro, pero esto puede deberse, en parte, a la existencia de servicios médicos para los obreros de la fábrica y a la presencia de un médico en ésta, y en parte, a la preferencia general por las medicinas patentadas y los inyectables entre los indígenas de muchas áreas rurales del país.

En el espiritismo

El culto espiritista fue fundado y está encabezado por un obrero de la fábrica, pero los 30 ó 40 espiritistas que asisten regularmente a las reuniones son casi todos campesinos, y uno o dos indígenas ladinizados que están empleados en la fábrica. El culto espiritista, al decir de sus seguidores, es una extensión del catolicismo y no está en conflicto con éste. Cuenta con muy poca simpatía de parte del indígena canteleño y es un fenómeno importado, muy popular entre los ladinos rurales de Guatemala. La situación del culto espiritista señala un aspecto de la situación de la fábrica frente a religión o ideología. Los nuevos elementos culturales de la vida de la comunidad se prestan más a ser añadidos a la cultura por un obrero de la fábrica que por uno no obrero. Supongo que esto se debe a que el obrero tiene mayor contacto con el mundo foráneo, logrado en sus más frecuentes visitas a las sociedades urbanas de Quezaltenango y Guatemala, y a su mayor capacidad económica de poder comprar lo que ve. Estos elementos importados, como lo son el espiritismo y la acción política, pueden no difundirse entre los obreros o el resto de la población. Lo que es importante en este caso es que los obreros sirven de canal para la introducción de nuevos elementos a la población en general, y de antena receptora de parte de la sociedad local en su contacto con el mundo ladino.

De esta breve descripción de la vida religiosa del obrero comparada con la del no obrero, surge el hecho de que la experiencia de la fábrica no ha modificado la adherencia a la religión tradicional ni su práctica de manera significativa, ni ha resultado en una proliferación del culto y credo especial entre los obreros. Estos han empleado el contenido y sistema simbólico de la religión tradicional para darse a sí mismos una identificación mística, la cual, según mi hipótesis, contribuye a lograr una integración más armoniosa y estrecha del poblado de la fábrica.

VISION DEL MUNDO

Señalaré ahora brevemente ciertos aspectos de la visión del mundo que esta comunidad de obreros comparte con los no obreros y algunas divergencias menores entre estas dos categorías. La visión del mundo de Cantel no se describirá en detalle, sino que me limitaré a caracterizar los ejes principales de ella, lo cual considero suficiente para hacer la comparación. La concepción del mundo de esta comunidad es similar estructuralmente a la de otras comunidades indígenas del altiplano (Tax 1941). Es pequeña: reducida en cuanto a sus límites espaciales y contenido absoluto. Es animista: se piensa que parte de la naturaleza y lo sobrenatural actúan y sienten tal como los hombres. Es metafórica: una parte del contenido llega a asociarse con otra por el proceso de extensión lingüística más bien que por precisión lógica. Es local: sólo los miembros de la sociedad indígena canteleña la poseen y comparten. Una palabra más respecto de su contenido: la mayor parte de los elementos que integran la definición y comprensión canteleña de la realidad, se derivan históricamente de sus antecesores quichés y de los conquistadores españoles del siglo XVI, modificados por el tiempo y las circunstancias locales hasta llegar a convertirse en su propia herencia. Pocos elementos pertenecen al mundo moderno o postcolonial, lo cual indica otra posible característica de su visión del mundo: es un sistema cerrado, fijo en sus costumbres y que no absorbe elementos nuevos o extraños con facilidad.

Premisas fundamentales

Tanto los obreros como los no obreros están de acuerdo en cuanto a las premisas fundamentales relativas a la concepción del mundo. Casi cualquier miembro de la comunidad puede narrar la leyenda del origen del pueblo: que la Virgen María se apareció tres veces en el lugar donde ahora está situada la iglesia, y que cada vez que la ponían en distinto lugar retornaba diciéndole a la gente que allí deberían fundar el pueblo de Cantel. Se cree que esta leyenda, muy distinta a la nuestra sobre San Nicolás, constituye una explicación exacta de por qué está Cantel ubicada allí. Los nombres míticos de las montañas y volcanes que rodean el municipio y los nombres de los dueños de éstos, es decir los espíritus que habitan esos cerros, son consabidos en el conocimiento geográfico de los canteleños. Todos saben por qué hay cuatro cruces que marcan las entradas y salidas del municipio: que el nagual o espíritu guardián, con este símbolo no deja que entre el mal al poblado.

Todos comparten la creencia de que el sol, la luna y la tierra son dioses con la misma relación de parentesco que el padre, la abuela y la madre. Uno puede ver, como lo hice yo, la representación dramática de estas creencias cuando hay eclipse de luna. Se cree que el eclipse lunar es señal de que la abuela de toda la humanidad está enferma, y ello entristece a la gente. Se prenden fogatas en las colinas que rodean al pueblo para llamar al "corazón" de la luna. La gente no puede mirar a la luna cuando está en eclipse, porque eso la avergonzaría; sin embargo, es importante no perderla de vista mientras está enferma, y por lo tanto miran su reflejo en cuencos de agua puestos en el patio. Durante el tiempo total del eclipse miran atentamente la sombra que se mueve a través de la cara de la luna. Al terminar de pasar la sombra se escucha un suspiro de alivio al decir la gente "Ahora ya se mejoró". El drama del eclipse concierne a todo el pueblo. Se encienden fogatas en todas las cumbres de las cercanías y se oye el rumor procedente de casi cualquier lugar. La gente se preocupa mucho cuando la diosa luna se enferma porque esto significa una falta de equilibrio en las relaciones entre la gente y el mundo de lo sobrenatural. La luna se enferma al ver los pecados de la gente. La actividad durante el eclipse asegura a la luna, al sol y a la tierra que la gente todavía los adora y los venerará y atenderá como es de esperarse de todos aquellos que dependen de fuerzas tales para continuar su existencia. Esta explicación está al alcance de todos al preguntársele a cualquiera en el pueblo, sea obrero o no. El municipio es único en estas delicadas y profundas creencias acerca del mundo. Durante el eclipse las fogatas y los ruidos vienen tanto de la población de la fábrica como de los caseríos fuera de ella. Y todos en Cantel comparten los significados asociados con el eclipse de la luna: si el eclipse es total, los ancianos morirán en gran número; si la parte sombreada tiene la forma de una luna nueva, morirán los jóvenes; si la sombra sólo cubre la mitad, morirán los de mediana edad, pues las fuerzas de la naturaleza sancionan el que se les haya descuidado durante el año. Una mujer embarazada no debe ver la luna durante el eclipse o dejar que su luz caiga sobre ella, si no quiere tener un hijo mudo o cojo.

Es posible pasar revista, una a una, a las concepciones que integran la visión canteleña del mundo y mostrar la igualdad de creencias entre los obreros de la fábrica y los no obreros. La aceptación ciega de la definición de la realidad por la gente es parte de la vida de todos, aun de los convertidos nominalmente al protestantismo. Se podrían citar casos para demostrar que tanto los trabajadores como los no empleados en la fábrica creen, por ejemplo, que uno puede encontrarse con espantos en el camino y morirse por eso del susto; que los arcángeles controlan los relámpagos; que soñar con una lechuza es un augurio de muerte; que el Día de todos los santos se debe ponerles comida a los muertos; que debe sacrificarse un cordero para mantener a la muerte alejada de una casa nueva; que el humo de las candelas acarrea las oraciones de uno a los dioses; y una multitud de creencias y prácticas similares. Lo que intento dejar claro es la coincidencia virtual en la visión del mundo de los canteleños, cualesquiera que sean sus ocupaciones. La enumeración podría extenderse hasta incluir los remedios caseros, las formas de curación, las ideas de lo frío y lo caliente, que son conocidas de los expertos sobre Mesoamérica en gran extensión, pero eludiré el valor adicional de esos agregados.

Falta de extensión de las categorías tradicionales a la esfera fabril

La coincidencia de las esferas de racionalidad e irracionalidad en la definición y manipulación del mundo que se encontró en los trabajadores, fueren de la fábrica o no, es de lo más sorprendente, ya que el obrero de la fábrica está íntimamente ligado a la esfera de racionalidad que crea la operación de las máquinas a su cargo. Dos cosas pueden decirse de la actitud y aprehensión por parte del obrero del complejo tecnológico que es la fábrica: primero, el obrero no ha atribuido fuerzas animistas ni demonios o espíritus a la maquinaria o sus fuentes de energía; y segundo, la comprensión racional aunque sin base teórica del manejo de la maquinaria y sus fuentes de energía, no se ha extendido a otras áreas de su sistema de conceptos explicativos. Ello indica que la visión del mundo del obrero está dividida en compartimientos estancos: él no extiende los acostumbrados "principios" explicativos a su trabajo fabril ni incorpora lo que sabe del manejo de la fábrica a sus principios habituales.

Creo que puede explicarse fácilmente que el canteleño no extienda sus habituales principios explicativos. Trabajando con las máquinas de hilar y tejer el empleado fabril ejecuta procesos técnicos análogos a aquellos empleados por los artesanos que manejan telares de cintura en Cantel y en las aldeas indígenas aledañas. El telar no es, después de todo, un mecanismo completamente desconocido en esta región de Los Altos. La reparación y mantenimiento de los telares de la fábrica es ejecutado por los canteleños, quienes han aprendido del técnico inglés los rudimentos de mecánica y reparación. El les ha enseñado sin emplear ni teoría física ni concepciones animistas, convirtiéndolos en artesanos que pueden reparar una máquina sin conocer exactamente los principios en que se basa su funcionamiento. Un obrero canteleño de la fábrica es capaz de entender suficiente mecánica para poder explicar cómo funciona una máquina, sin necesidad de invocar fuerzas externas. Lo mismo, más o menos, puede decirse de la energía eléctrica que impulsa la maquinaria. Hay una turbina al lado derecho del principal salón de trabajo de la fábrica, que genera energía hidráulicamente, y el canteleño sabe que existe una relación entre las máquinas Diesel y las turbinas, la cual resulta en "la carga", que es la electricidad que hace funcionar las máquinas, prende las luces y hace que los radios suenen. Eso es todo lo que saben; yo mismo apenas sé un poco más de electricidad, y sin embargo, como los canteleños, no siento necesidad de introducir conceptos mágicos o místicos mediatorios que subsanen mi falta de conocimientos.

La rutina del trabajo y la actitud frente a las máquinas en la fábrica se orienta, como he señalado antes, hacia las tareas por realizarse: la producción de artículos de algodón o hilo y el funcionamiento ininterrumpido de la maquinaria. No se practica ningún rito para acercarse a la máquina, manejarla o explicar sus fallas. Ningún obrero piensa, si su producción es baja, que la máquina le tiene mala voluntad, sino que llama a uno de los mecánicos para que la revise, o hasta trata de ensayar repararla él mismo con la consiguiente zozobra del propietario de la fábrica, pero aun en este caso con desatornillador y tenazas, en vez de copal y candelas. Si uno se preocupara por obtener del obrero lo que sabe del manejo de máquinas, obtendría una idea del artesano que entiende solamente los aspectos más superficiales de las operaciones mecánicas, tal como, más o menos, sospecho que podría encontrarse en una línea de montaje estadounidense. Pero su actitud frente a la máquina y su modo de manejarla es del tipo impersonal, completamente ajeno a la era mítica, que se supone característica de los trabajadores en la línea de montaje de una sociedad industrial con una concepción racional del mundo.

*Falta de extensión de la racionalidad de la esfera
fabril a otras experiencias*

La comprensión clara, aunque fuere en mínimo grado, del funcionamiento mecánico en lo que respecta a su causalidad física, no lleva al obrero a buscar esa relación de causa y efecto a otros aspectos de su experiencia. Explicar esto es más difícil; es socialmente cierto que los obreros establecen el mismo tipo de relación metafórica entre muchas cosas que los no obreros, como se señalara anteriormente. Por ejemplo, el obrero no concibe las faenas agrícolas en virtud del suelo, semillas, fertilizantes y manejo. Los mejores agricultores incluyen estos aspectos racionales. Pero tanto el obrero como los trabajadores agrícolas consideran de la misma importancia dar gracias por la cosecha por medio del *tioš jal,* una cruz que es hecha con las mazorcas más grandes durante la cosecha y más tarde en el altar doméstico. Todos los canteleños creen que esta costumbre está íntimamente relacionada con el resultado de la cosecha futura y que es parte instrumental de la tecnología del cultivo del maíz. No puedo dar la razón de esto, excepto que esa fundamental contradicción entre la causalidad física y la causalidad mística puede existir en la mente de una persona sin causar tensión psíquica o siquiera la conciencia de tal inconsistencia, como sucede ahora con los obreros de Cantel: la concepción del mundo de un hombre no tiene que ser de una sola pieza, ni evocan equivalentes psicológicos forzosamente las incompatibilidades lógicas. Con estos aforismos puedo referirme a la aparente dicotomía en la concepción del mundo del obrero fabril, pero no explicarla.

Hay en Cantel obreros fabriles de más mundo, y cuya concepción del cosmos se aproxima más a la nuestra en alcance y contenido (como se señalará en la sección sobre los líderes del sindicato y los portadores de la nueva ideología). Pero su desenvolvimiento no puede interpretarse como una extensión automática de los principios racionales inferidos de la exposición y manipulación de una tecnología industrial, pues una espontánea generación de ideas y sistemas mentales semejante, no se origina de la experiencia con máquinas, como lo atestigua la visión del mundo de la mayoría de los obreros fabriles en Cantel. Más bien debemos concebir la experiencia técnica en su tendencia de generar conjuntos de problemas, cuya solución depende de la refinación de proposiciones por medio de los procesos sociales de divulgación, aceptación e integración dentro del prevaleciente sistema de pensamiento y de una estructura social dada. Quizás debido a que los canteleños ven el marco institucional de la comprensión y racionalización del funcionamiento continuo de la fábrica más allá de su sociedad y control inmediato, no se han sentido forzados a asimilar la máquina completamente a su manera de pensar. Puede especularse sobre lo que pasaría si el funcionamiento de la fábrica dependiera estrictamente de la sociedad local. Es problemático establecer si tales condiciones serían una fuente generatriz fértil de mitos y de prácticas mágicas y rituales destinadas a asegurar el funcionamiento continuo de la fábrica. Al respecto me limitaré a reiterar el hecho de que el manejo de máquinas cuyo funcionamiento se concibe en términos racionales y causales, no actúa como un solvente sobre el sistema mental extraempírico que abarca otros aspectos de la vida del obrero. Aquellos que han modificado la naturaleza de su visión del mundo lo han logrado por su adhesión a estructuras institucionales que tienen concepciones del mundo distintas, más bien que por la extensión, a otras áreas de sus vidas, de aquellos principios causales que pueden haber aprendido en la fábrica.

CAPITULO VII

LA PERSONALIDAD DEL CANTELEÑO

Mi comprensión de la personalidad del canteleño depende enteramente de lo que he aprendido por medio de los procesos normales de interacción social con muchas personas y de la observación de ellos en diversas situaciones sociales durante mi estadía en Cantel. No administré pruebas proyectivas o empleé otras técnicas especializadas para investigar los aspectos profundos de la personalidad individual. No encuentro que ello sea muy desventajoso, pues lo que analizo en las páginas siguientes es lo que ha sido llamado la personalidad "pública", en contraste con la personalidad "privada" (Lewis 1951). Y me referiré al componente de personalidad de algunos canteleños con base en lo que se ha llamado "el método cultural deductivo" (Wallace 1952). Para ser más explícito, me propongo refundir parte de la conducta social y cultural descrita previamente, en términos psicológicos y encuadrar en esos términos a algunos individuos. De las reacciones de individuos en situaciones sociales abstraeré el grado en que una persona exhibe un síndrome psicológico y "energía" dados en el desempeño de roles y responsabilidades sociales.

Tanto entre los trabajadores fabriles como entre los no fabriles se evidencia una amplia gama de tipos de personalidad. Ninguna categoría única abarcaría a la gente de Cantel, y puesto que no planeé estudiar las frecuencias de los tipos postulados, o las características o rasgos particulares de la personalidad, queda por encima de mi capacidad determinar frecuencias específicas. Pueden encontrarse en Cantel individuos que son agresivos, plácidos, con egos fuertes o débiles, individuos cuya conducta es controlada predominantemente por sentimientos de culpabilidad o cuyo sistema de control personal descansa en sentimientos de vergüenza y miedo. Hay personas que son de habla y movimientos rápidos y las hay de habla y movimientos lentos; hay personas que son abiertas y francas y las hay tímidas y retraídas, personas que son afables y alegres, y otras que son suspicaces y malhumoradas. Existe una amplia gama de rasgos de personalidad, pero algunos rasgos y corrientes se dan más frecuentemente en la composición personal de los canteleños. Citaré las características que son ostensibles en la conducta social o actos públicos de los canteleños, y que por la frecuencia de su presencia distinguen al canteleño de los ladinos de la región y de algún norteamericano, aun para el observador casual.

Los canteleños son reservados e inexpresivos en la interacción social normal, tal como un encuentro casual en la calle, en reuniones públicas mientras están sobrios, si son observados por cualquier persona ajena a la familia. La forma de saludarse depende de la edad, el sexo, la posición social y otros criterios estructurales. En público el tono de alegría o tristeza o sorpresa que un encuentro puede ocasionar es reprimido en tal grado que el observador percibe tan sólo un débil indicio. Esta falta de expresividad emocional es una cualidad que penetra todas las relaciones sociales visibles o públicas, y es el resultado de agudos mecanismos de control, aunados al deseo de mantener los sentimientos propios en privado y revelarlos solamente en circunstancias apropiadas. Puede considerarse entonces la reserva, producto de un dominio interno fuerte, como la primera característica que un foráneo, si permaneciere suficiente tiempo en el lugar, juzgaría parte del carácter social canteleño.

Esa reserva se aproxima con frecuencia a un estado que podría denominarse de placidez. La gente rara vez demuestra estar excitada, a no ser que esté embriagada. Frente a catástrofes menores, golpes o heridas personales, puede esperarse del canteleño una apariencia externa mesurada, sienta lo que sienta internamente. En los casos en que he vendado las heridas causadas por cortes profundos de machete, el herido se sienta tranquilo, sin llorar o gemir ni hacer gestos faciales para dominar el dolor, mientras que la gente alrededor ve la herida con una falta de preocupación aparente; semejante estoicismo es muy apreciado. Un hombre rindió informe sobre los efectos de un derrumbe que la noche anterior había matado a trece personas, en un tono de conversación común y corriente, añadiendo sólo el convencional "qué lastima" al final de una sangrienta descripción que incluía cómo los perros habían carcomido los cadáveres y cómo habían muerto una madre y una criatura al caer un peñasco. Las personas presentes escucharon las noticias con la misma falta aparente de fuerte reacción emocional, y un grupo de diez funcionarios municipales que más tarde fueron al lugar en calidad de testigos, reiteraron al regresar los horribles detalles de la desgracia con una sangre fría extraordinaria, según me pareció. Esta reserva y la placidez frente a los estímulos fuertes, dan la impresión de que los indígenas son impasibles y que no sienten verdaderamente las cosas. Creo que esto no es cierto, si se toman en cuenta las pronunciadas demostraciones de pena o alegría expresadas en las condiciones permitidas —funerales y matrimonios— usualmente bajo la influencia del alcohol. Lo que hay en la pauta normal de interacción social es un esfuerzo personal evidente por atenuar la expresión de las emociones fuertes; ello da como resultado un carácter social que en la mayoría de los casos es reservado, plácido, casi no emocional y, con frecuencia, impasible frente a las privaciones.

Aunada a estas características se encuentra la gran paciencia que muestran los canteleños, quienes son capaces de refrenar toda impaciencia durante un largo período de espera. Los canteleños creen que nada debe desearse con urgencia y que fácil y rápidamente no puede lograrse nada. Como dicen ellos cuando las circunstancias así lo exigen, "Paciencia quiere la vida": cuando el carro que ha de llevarlos a la ciudad se atrasa tres horas; cuando llegan cuatro días seguidos por la mañana para ver al alcalde y esperan horas interminables sin lograr una entrevista; cuando se esperan cinco años para reunir el dinero necesario para ofrecer un sacrificio doméstico; cuando ahorran centavos y monedas de a veinticinco para poder comprar una cuerda de tierra más. En los mil pequeños contratiempos y retrasos de la vida diaria los canteleños esperan sin tensión ni amargura aparente: son una gente paciente.

Los canteleños son cautos: los planes y realizaciones audaces, las concepciones grandiosas y las grandes empresas les son extrañas. "Poco a poco" es como les gusta que se hagan las cosas y como les gusta a ellos hacerlas. Por ejemplo, un hombre no piensa en reparar una casa completamente, ni siquiera si fuera necesario, sino que piensa en esto ahora y luego en lo otro. Aun el hombre más rico del pueblo un año erige una nueva pared en el patio, el año siguiente una puerta nueva, y planea arreglar otra parte de la casa un año venidero. Todas las situaciones nuevas deben enfrentarse con cautela, y usualmente se hace así. El canteleño le dice a uno que no hay que precipitarse a comprar o vender, a hacer promesas o contraer deudas, a hacer amigos o enemigos. Puede tenerse la seguridad de que se aprueba cualquier acción si puede decirse de ella que ha sido hecha "con cuidado", y si se esperó un plazo prudencial a que toda la situación se aclarara antes de tomar medidas.

El reprimir las emociones francas, y los rasgos de paciencia, cautela y placidez se observan con particularidad en las mujeres, quienes deben controlarse no sólo en público sino también en familia. En la mujer no se valúan las habilidades sociales básicas de que se provee la mayoría de los hombres para ingresar en la vida pública y religiosa. Las mujeres tienden a definirse solamente por medio de sus responsabilidades domésticas. Ellas hablan de otras mujeres, ubicándolas en una de dos categorías: las mujeres diligentes que están bien empapadas en su papel de amas de casa y las habladoras que pierden el tiempo murmurando en las calles o en el lavadero público. Las mujeres, sin gracias sociales aprendidas, dan la impresión de falta de madurez, y se tornan tímidas y retraídas al convertirse en el centro de atención en público, retraimiento que se les estimula desde niñas. A las mujeres se les enseña a ser recatadas, diciéndoseles que rehuyan a los hombres que tratan de hablarles y aconsejándoseles rehuir la amistad con mujeres que no sean de la familia. Ellas son una versión exagerada de la imagen de la conducta del hombre en público, pero sin las gracias sociales que les permiten a éstos proyectar una personalidad plácida.

Estas cualidades de reserva, paciencia y cautela hacen que los canteleños parezcan ser, a los ojos del occidental, mentalmente lentos o estúpidos. Pero no es éste el caso: los canteleños aprenden rápidamente si las condiciones, como en la fábrica, son apropiadas, y muchos de ellos analizan con agudeza a sus paisanos. Es solamente la necesidad de aplicar controles personales para mostrarse reservados, calmados y prudentes en la conducta pública lo que le presta a la vida social del lugar la característica atmósfera de orden, invariabilidad y de existencia plácida y sin emociones.

Vistas desde otro ángulo, esas características de los canteleños evocan la calificación de ellos como "resistentes", (un colega me dice que se le ocurre el calificativo de "tenaces"). Los canteleños son resistentes por la capacidad que tienen de soportar el dolor y las conmociones, de recuperarse de las heridas y los disgustos; resistentes por su capacidad de acallar las quejas, por su modo de afrontar una tarea de mayores proporciones poco a poco y resistentes por la mínima naturaleza de las comodidades y bendiciones que esperan de la vida. Los canteleños son gente resistente y tenaz y se enorgullecen de esas cualidades.

Los canteleños se mantienen preocupados continuamente por el escándalo y la murmuración. La opinión buena o siquiera neutral del vecino es buscada y altamente estimada. La buena opinión se gana a través de la conducta adecuada en los asuntos públicos, y evitando los conflictos personales agudos en los que casi todos los del municipio se han visto envueltos en una u otra ocasión. Es fácil perder la buena opinión del vecino por la violación menor de alguna norma o por alguna disputa directa. Los canteleños son dados a murmurar maliciosamente el uno del otro. Todos saben que se les juzga y se habla de ellos, y si alguno comete un error serio o se convierte en el centro de la atención pública por alguna razón oprobiosa, puede llegar a quedarse en su casa muy abatido por varios días o semanas, sin atreverse a andar por las calles o a ver a nadie por vergüenza. El comisionado de policía, un buen amigo mío, perdió el trabajo por embriagarse un día que estaba de servicio. Después de perder el empleo se quedó en casa por más de dos semanas sin ver a nadie más que a su familia inmediata, y su esposa también redujo sus actividades fuera de la casa. El comisionado sabía de la hostilidad que por envidia se abrigaba en su contra, según decía él. Su antecesor en el cargo era un hombre de magnífico carácter, pero también perdió el trabajo por una acusación de borrachera. Se dice que sus enemigos esperaron diez años para poder encontrar el pretexto por el que fuera despedido. Esta envidia y la murmuración que la sigue dícese que recae en aquellos que llegan a ser demasiado prominentes o poderosos, o socialmente visibles. El secretario municipal también fue cesado del cargo por murmuración maliciosa y una manifestación pública que vertió las calumnias más viles sobre su persona. Los destiladores clandestinos de licores son generalmente denunciados a las autoridades por algún canteleño carcomido por la envidia o por alguien que haya tenido una reyerta con alguno de ellos. Al visitar en su casa a mi amigo el excomisionado lo encontré preocupado por lo que la gente podía estar diciendo de él y por su exagerada idea del grado en que se le estaba difamando, pero su estado era un reflejo del hecho social de que la murmuración maligna se desencadena por circunstancias diversas, sean éstas insignificantes o de peso.

Supongo que de esto deriva la cualidad de suspicacia que parece penetrar en mucho de la interacción personal en Cantel. Los canteleños no son abiertos y francos cuando conversan entre sí, pero tampoco son tortuosos o marrulleros. Más bien, al hacérseles preguntas o solicitarles alguna información, son suspicaces en cuanto a motivos, razones y fines de esto. A nadie más que a un padre o hermano puede hacérsele una confidencia. Los canteleños tienden a dar respuestas que ellos consideran apropiadas, en vez de las verdaderas respuestas, cuando la verdad puede causar hostilidad o molestia; sospechan que los asuntos en que uno declara estar interesado, no son verdaderamente ésos. Y lo sospechan con alguna razón, puesto que nadie le comunica realmente a otro lo que va a hacer, a menos que la persona de que se trate tenga necesidad imperiosa de saberlo. Por ejemplo, el saludo en las calles es frecuentemente "¿A dónde va?", y es respondido por "Tengo un mandado que hacer". Esto salva la situación general y constituye la norma cultural y excusa válida de estar ocupado. Esa suspicacia a menudo le da al canteleño la apariencia de ser reservado, puesto que el revelar los propósitos o planes propios crea la posibilidad de que un vecino hostil o un enemigo envidioso interfiera.

Con la suspicacia y reserva predominantes en la atmósfera, los canteleños se entregan fácilmente a los temores. Los canteleños no son miedosos, pues sin lugar a dudas se muestran animosos, ríen con facilidad y tienen un buen sentido del humor, al grado de responder aun a mis bromas españolas. Sin embargo, a un canteleño puede inducírsele fácilmente al temor y las cosas menos imponentes les causan grandes temores. Si no puede contener fácilmente el temor, el canteleño emplea el mecanismo cultural para aliviarlo. El canteleño puede enfermarse de 'susto', causado por cosas tales como encontrarse con un espíritu en el camino, caerse en un hoyo en la oscuridad, o por cualquier otro suceso inesperado. Al asustarse se enferma literalmente y se le cuida como si tuviera una enfermedad de origen puramente físico. Por medio de este cuidado y la aceptación social del susto como una reacción socialmente aceptada, logra recuperarse y recobrar su equilibrio psíquico. Algunos canteleños se han muerto de susto, lo cual, según creo, revela los extremos que puede alcanzar el temor en su personalidad.

Para el canteleño no sólo el miedo sino también las emociones fuertes son difíciles de controlar. Se cree que la gente que continuamente actúa en forma emotiva tiene por herencia alguna variedad de "mala sangre", o si no, dícese que fue mal educada. Para la persona común tener una emoción fuerte, ya sea alegría o tristeza, equivale a tener una reacción igualmente deprimente que se manifiesta en conceptos culturales tales como "dolor del corazón", "mal del estómago", y mu-

chas otras afecciones que usualmente son la consecuencia de
dar rienda suelta a reacciones emocionales fuertes o desafo-
radas.

Cuando los canteleños abandonan el tenor invariable del
humor social acostumbrado y se entregan a la emociones fuertes, se ven completamente dominados por ellas. Y cuando se
duelen, se lamentan en voz alta y con gritos angustiosos en
una atmósfera de gran tensión que habitualmente dura de
cuatro a siete días. Si estando ellos embriagados se les recuerda
al padre o madre fallecidos, lloran abiertamente y su tristeza
es grande, genuina y expresada a grandes voces. Se entregan
con mayor facilidad a la tristeza que a la alegría y nunca
he visto ni oído a un canteleño reir a carcajadas. Cuando los
canteleños montan en cólera, ésta alcanza niveles muy altos.
Un hombre que se engarce en una riña, lo cual rara vez ocurre,
se aproxima en su cólera a un estado histérico y con frecuencia
llora, grita y pronuncia palabras entrecortadas por los sollozos.
Una mujer chilla, solloza y desvaría al entregarse a una ex-
plosión de cólera. La recuperación de una emoción fuerte es
frecuentemente muy rápida y un hombre que estando sobrio
pierde por completo los estribos por efecto de la ira, puede
parecer estar en completo dominio de sí mismo una o dos horas más tarde.

Sobre la base de suspicacia, temor, murmuración e incapacidad de canalizar sus emociones fuertes, descansa la tendencia
del canteleño a que fácilmente se le empuje a una conducta
agresiva u hostil. La agresión está casi siempre cercana a la
superficie, y de los cientos de canteleños embriagados que he
visto, sólo conocí a uno que usualmente no se tornaba agresivo
al disolverse su control en el alcohol. Cuando están ebrios, los
hombres buscan con quien reñir, algún objeto contra el cual
puedan ensañarse, hacerse justicia por algún agravio o co-
múnmente alguna infracción doméstica que requiera pegarle a

la mujer. En las mujeres embriagadas la agresión toma por lo general la forma de autodenigración o denuncias contra algún vecino. Se encuentran formas de expresar la agresividad recogiendo rumores o en pequeñeces tales como deleitarse pateando algún perro callejero siempre que se presente la oportunidad, en los pleitos frecuentes que se llevan al juzgado por problemas triviales y en la constante corriente de acusaciones y denigración entre la gente. Los canteleños pueden llegar a ser muy mezquinos y bajos al recurrir a los limitados medios de que disponen para desahogar su agresividad.

Con todo, los canteleños son tolerantes respecto de una amplia gama de conducta siempre que no trascienda los límites de la costumbre —determinadas maneras, etiqueta y la conducta ritual— cuya observancia es indispensable para poder ser miembro de la sociedad. Fuera de esta esfera de lo acostumbrado, un hombre puede hacer casi cualquier cosa sin ninguna otra sanción que la murmuración. Por ejemplo, hay varios casos de bígamos conocidos en el pueblo, que son objeto de murmuración ligera pero que son tratados en público con la deferencia y respeto que se les debe según su edad y servicio público. Los canteleños excusan la conducta de los extranjeros, aceptando que cada quien tiene su propia costumbre, y así perdonaron mi hábito de entrar a una casa sin hacer una reverencia al altar doméstico, hasta que supe que era lo indicado. Aunada a esta tolerancia se encuentra una falta de envidia o codicia. Los canteleños no envidian las posesiones de un hombre más de lo acostumbrado si éste es gamonal y caritativo. Existe la creencia en una justicia distributiva relativa a la repartición de las recompensas mundanas, cuya existencia es confirmada por la movilidad social y los cambios de posición económica que ocurren en la comunidad. Más tarde o más temprano recibe uno su merecido y no hay por qué inquietarse por la incertidumbre del porvenir.

Los canteleños no son personas inventivas o que gusten de manipular cosas y resolver problemas, sino que tienden a aceptar las cosas como las encuentran, hacerlas funcionar y emplearlas del mismo modo que sus padres. Por ejemplo, no tienden a introducir innovaciones en los muebles domésticos, en el modo de criar a los hijos o en disponer sus carreras. Los canteleños toman lo que el mundo les ofrece sin tratar de buscar una mejor manera. Tengo en mente al almolongueño que se trasladó a Cantel y tiene allí la única hortaliza, sin que se les ocurra a los canteleños principar a cultivar sus propias legumbres, a pesar de haberse demostrado que ello es posible. Los paquetes de semillas almacenados en una tienda del pueblo se empolvan cada vez más. Ningún canteleño está interesado en introducir innovaciones.

Y sin embargo, los canteleños son flexibles frente a las innovaciones. Se considera a la fábrica parte del paisaje natural de la región; el ferrocarril que antes pasaba zumbando por el pueblo, los grandes tractores que llegaron allí para construir parte de la nueva carretera nacional que ha de pasar al pie de Cantel, las instalaciones de agua recientemente llevadas al pueblo, así como otros cambios similares, han afectado momentáneamente la vida comunal y luego han sido aceptados rápidamente como parte "natural" del ambiente que los canteleños no controlan. Esto mismo puede decirse de otro modo: en su mayoría los canteleños tienen la tendencia, como parte integral de sus personalidades, a resignarse ante el destino, ya sea en relación al mundo natural o al mundo social circundante, y cuando ven que algún acontecimiento es inevitable, se adaptan de una u otra forma a éste.

Hay un último rasgo personal que sobresale en los canteleños: son muy disciplinados en su modo personal de ser y de hábitos regulares. El reloj armoniza perfectamente con el modo en que a ellos les gusta disponer sus vidas. Una rutina diaria invariable y ordenada, ajustada según la temporada, es el ideal al cual se aproximan los canteleños. Y ello concuerda con la ausencia generalizada de exuberancia o "estilo" en casi todos los aspectos de la vida privada: no existen habilidades especializadas en cuanto a la vida amorosa, la cocina, en el diseño de motivos de bordado, canciones o bailes. La habilidad creativa personal significa un rompimiento con la tradición, y el canteleño sospecharía de ella y quizás ni siquiera llegaría a comprenderla. Los canteleños no tienen deseo alguno o energía psíquica, para entregarse a la creación de experiencia o belleza que trasciende lo común y corriente.

Los rasgos de la personalidad que hemos descrito anteriormente no ponen punto final a lo que podría decirse sobre el carácter público del canteleño, ni proporcionan suficientes datos para poder abstraer un tipo de personalidad que pudiera presentarse con alguna economía. Considero que la utilidad de semejante descripción de la personalidad pública consiste en ofrecer un retrato de las energías psíquicas y los rasgos personales que caracterizan a la gente de Cantel. Lo más sorprendente de esta caracterización es que tiene validez, con igual fuerza, para toda la población; los obreros no se diferencian por su conducta pública, ni consiguientemente en su personalidad pública, de aquellos que nunca se han sometido a la rutina disciplinada de la producción centralizada por medio de maquinaria impulsada por fuerza motriz. Quizás sea esto una forma de resumir lo que dije antes sobre la vida cultural y social del obrero fabril en comparación con aquella del campesino o artesano. La generalización que se extrae de esta observación es que en las circunstancias de Cantel el trabajo fabril no requiere, al menos a un nivel superficial, la reorganización de un sistema de personalidad desarrollado como respuesta a un sistema ocupacional y de trabajo significativamente diferente. Puede observarse algún efecto entre las obreras de la fábrica, quienes, como grupo, muestran una convergencia hacia el papel del hombre en cuanto a un trato social más desenvuelto, en comparación con las amas de casa. Desde un punto de vista de mayor generalidad podría inferirse que el campesino y el obrero fabril, como personalidades, comparten suficientes rasgos comunes para poder realizar la transición de uno a otro sistema de organización económica, sin que se requiera una modificación básica en la dinámica interna de la personalidad o en su economía psíquica.

CAPITULO VIII

EL SINDICATO: EXTENSION DEL HORIZONTE SOCIAL Y DEFINICION DE ROLES NUEVOS

Además de proporcionar situaciones sociales que parecen generar, a mis ojos, relaciones personales e íntimas, el sindicato implicó a la mayoría de los obreros fabriles en actividades distantes de la vida del campesino, tanto en interés como en tipo de experiencia, mientras que los equipos deportivos y los clubes de ciclismo proporcionaron a sus participantes una experiencia en el deporte organizado para adultos, no asociado con ritual o ritos de pasaje, lo cual es un rasgo igualmente extraño a la vida tradicional de la comunidad.

LOS MIEMBROS DEL SINDICATO PARTICIPAN EN NUEVAS ACTIVIDADES ORGANIZADAS

Durante nuestra permanencia en el pueblo casi no transcurrió una semana sin que se reuniera la junta directiva o todos los miembros del sindicato. La mayoría de los obreros de la fábrica que asistían a esas frecuentes reuniones participaban en un proceso de selección, algunos rasgos del cual no eran característicos de la vida comunal de Cantel, sobre asuntos que a menudo no eran de importancia e interés local. El procedimiento usual en esas reuniones involucraba mucha discusión y, finalmente, una votación sobre un asunto acerca del cual los miembros presentaban sus distintas opiniones. Los asuntos eran generalmente traídos a colación por el comité ejecutivo del sindicato y luego eran presentados a sus miembros. En las discusiones había dos desviaciones de la vida usual de los canteleños, en tanto que en el modo en que se tomaban las decisiones había una identidad muy cercana al modo en que los grupos de la comunidad llegaban a un acuerdo.

Un ejemplo que ilustra tanto el *modus operandi* del sindicato como el tipo de asuntos de los que se ocupaba, es la ocasión en que se propuso un aumento en el salario de los obreros de la fábrica que eran trabajadores de afuera —es decir, aquellos que no trabajaban en ninguno de los departamentos de elaboración de productos dentro de la fábrica, sino que estaban encargados del mantenimiento de las instalaciones de ésta y del cuidado de las construcciones. Estos empleados no recibían el salario mínimo que se les pagaba a los obreros de la fábrica propiamente dichos, pero eran miembros del sindicato y se habían quejado a la junta directiva del mismo, aduciendo que su escala de salarios era inadecuada. ¿Se encargaría el sindicato de considerar este asunto? La junta directiva se reunió tres veces, a puerta cerrada, a debatir el problema. Por Juan M., secretario del sindicato en ese entonces, me enteré del modo en que la junta decidió salir en defensa de los trabajadores de afuera. La decisión fue tomada, según dijo Juan, fundándose en que el sindicato estaba obligado a resolver las quejas de sus miembros; aun más, el caso le daba la oportunidad al sindicato de demostrar su poderío y de probar tanto a la comunidad como al mismo sindicato, que se trataba de un poder que debía tomarse en cuenta. Cuando la junta directiva tomó la decisión, el caso fue presentado en una reunión general. Juan hizo una exposición a favor de presentar una demanda a la gerencia de la fábrica, por medio de la cual se exigiría un aumento de salarios o de lo contrario se declararía una huelga general. Confrontados con la alternativa de aceptar o denegar el apoyo a los trabajadores de afuera, la reunión dio lugar a una discusión candente. En el debate, los miembros se paraban para hacer uso de la palabra al concedérselos la presidencia; no se esperaba a que los más viejos, o los que gozaban de mayor prestigio, hicieran uso de la palabra primero, como es el procedimiento usual en los asuntos a discutirse en la comunidad de Cantel. Tanto hombres como mujeres se levantaban para hacer sugerencias y expresar sus sentimientos. El intercambio de opiniones y sentimientos también se apartaba de lo conocido, por ejemplo, como cuando los *principales* discutían sobre el sistema de aprovisionamiento de agua; en la reunión del sindicato los miembros hacían declaraciones claras en oposición los unos a los otros, mientras que en discusiones colectivas en otras circunstancias esto es eludido conscientemente. Si un individuo tiene un punto de vista distinto al de otro, lo presenta en una especie de monólogo, sin aludir al tema presentado por su opositor, sin rebatir, sin defender su idea y sin intentar una refutación formal de la idea opuesta. La manera educada y correcta de discutir en Cantel puede caracterizarse como la de una democracia sin debates, en la que las ideas y posiciones no son modificadas a través de la comunicación. La reunión del sindicato era fundamentalmente distinta de lo acostumbrado. El debate se llevaba a cabo en oposición al punto de vista de la otra parte y trataba de mostrar las debilidades de la misma; así el asunto a discusión sufría alguna modificación a través de la expresión de puntos de vista distintos y opuestos en una atmósfera de animado debate y discusión.

Estas dos diferencias en el modo de discutir entre las reuniones del sindicato y otras asambleas eran señaladas positivamente por algunos de los nativos más observadores, y vituperadas por otros. Pero cualquiera que fuera la evaluación cultural de las mismas, como procedimientos para llegar a un acuerdo común entrenaban al participante a modificar opiniones y hacer sentir su peso personal, el cual era muy distinto al del canteleño promedio.

Sin embargo, la desviación de modelos acostumbrados no era tan grande como para poder considerar las reuniones del sindicato una réplica en miniatura de la asamblea de un pueblo en Nueva Inglaterra. La culminación del proceso de escoger una decisión, expresada en votos, era idéntica al tipo y procedimiento existentes antes de la fundación de la fábrica. Las discusiones y las disputas continuaban hasta que todos dijeran lo que querían expresar. En este caso se adoptaban tres posiciones: la primera sostenía que lo expuesto por la junta directiva era digno de apoyo, fueren las consecuencias buenas o malas; la otra sostenía que la decisión no debía presentarse en términos mutuamente exclusivos, ya que no valía la pena declararse en huelga por unos 80 trabajadores de afuera; la última posición sostenía que el aumento del salario pedido era excesivo y que pidiendo menos podría llegarse a algún acuerdo, sin huelga o resentimientos de ninguna de las partes involucradas. Estas tres posiciones fueron presentadas por casi las tres primeras personas que tomaron la palabra, pero la votación no se llevó a cabo sino hasta después de más de dos horas de discusión. No se procedió a votar hasta que se hubiera puesto enteramente en claro cuál de las tres proposiciones era la más popular y que ésa ganaría si fuera sometida a votación. Del asentimiento, el aplauso y el murmullo que sucedió a cada exposición y a cada refutación, se dedujo que la proposición hecha por la junta directiva era la que gozaba de mayor apoyo. Cuando la asamblea se dio cuenta de ello, la cuestión fue sometida a votación, no escrita sino oral, y fue aprobada por unanimidad. Es precisamente este procedimiento el que se emplea para llegar a un acuerdo en otras ocasiones de escoger una solución en Cantel. Por ejemplo, cuando los principales conjuntamente con los oficiales de la municipalidad consideran un caso, cada punto de vista es presentado como una entidad separada, ni refutable ni modificable, y cada hombre espera su turno, según su edad y prestigio, para poder hablar. Pero cuando un punto de vista gana la aprobación de la mayoría por medio de la exteriorización de las reacciones del público, se le concede siempre la calidad de acuerdo por unanimidad. No se toma nota de las posiciones de las minorías y nadie quiere quedar consignado como opositor a una idea, o como defensor de otro punto de vista. No hay ningún grupo de infalibles opositores que más tarde manifieste haber advertido sobre las consecuencias de la decisión al grupo mayoritario. En el proceso del sindicato para llegar a una decisión colectiva, entonces, los procedimientos en cuanto a debate y desacuerdo público seguían un conjunto de normas distinto al de las que aparecen en otras situaciones para tomar decisiones en la comunidad, pero al llegar a un acuerdo, se sigue el patrón aceptado de unanimidad expresa, sin reservas de la minoría.

No puedo decir que todos los miembros del sindicato estuvieran de acuerdo con las técnicas de dar a conocer su opinión individual ni de ganar partidarios a través del debate democrático, fundamentalmente el punto de vista político liberal y método de formación de opiniones; tampoco puedo decir cuántos llegaron a aprenderlas. Lo que sí puede afirmarse, según creo, es que todo aquel que las aprendió, las aprendió a través de su papel ocupacional y la consiguiente calidad de miembro en una organización relacionada con ese papel. Algunos miembros del sindicato y obreros de la fábrica experimentaron y emplearon modos de llegar a acuerdos colectivos que pudieron ser, y llegaron a serlo, de importancia en su impacto institucional, como se verá más adelante. Al menos, por entonces, algunos obreros se diferenciaban socialmente por la experiencia y discusión política por que habían pasado en los años de su sindicalización. Habían adquirido experiencia en la formación de una organización voluntaria, el aumento de adhesiones basadas en ideales abstractos, la experiencia de la intimidad personal fundada en un interés común y la noción de la manipulación de otros componentes de su orden social como resultado del hecho de haber manejado con éxito a la gerencia de la fábrica, hasta ese entonces todopoderosa, dentro de un acuerdo favorable sobre las condiciones de trabajo y salarios. Estas experiencias y entendimientos emergen como hechos sociales en las reformas intentadas y en las actividades políticas que se estudian a continuación.

LAS ACTIVIDADES SINDICALES AFECTAN LA INTERACCION SOCIAL

Los patrones de amistad y de juego colectivo organizado que fueron aprendidos por los obreros en el trabajo, el sindicato y los equipos deportivos, han servido para dar un tono y calidad distintos a las reuniones recreativas de la gente de la fábrica en contraste con los trabajadores agrícolas. En los bailes patrocinados por el sindicato, o a los que asisten sólo obreros de la fábrica, rara vez había ebriedad generalizada o una transición de ésta a desórdenes y riñas. En estos bailes se mantenía cierto decoro, así como una alegría lograda sin el uso excesivo del alcohol. En los bailes o reuniones festivas del calendario ordinario de la comunidad —la fiesta titular, después del Día de todos los santos y en ocasiones festivas particulares tales como matrimonios y "la *entregada* del niño"— siempre, casi todos los presentes estaban ebrios y había una alta incidencia de peleas, insultos y uso de palabras soeces. En las zarabandas en las que el *son* simple es bailado con acompañamiento de marimba —esa especie de xilófono hecho de madera que significa goce y abandono para los canteleños— la mayoría de los danzantes estaban ebrios desde el principio y se ponían en peor estado de intoxicación al correr de las horas. Estas diferencias en el comportamiento colectivo eran sorprendentes, y aun más, ya que cuando los obreros se juntaban con los labriegos en las ocasiones festivas tradicionales, se conducían igual que el canteleño en plan de diversión, emborrachándose y riñendo. Opino en lo personal que los aspectos circunstanciales de la recreación determinan el comportamiento del individuo y no estoy seguro de qué papel desempeña la experiencia adquirida en la fábrica en permitir la recreación regulada. No sé si los peones agrícolas pueden jugar del mismo modo que los obreros, suponiendo que así quisieran hacerlo. Pero sólo los obreros de la fábrica se divierten de un modo distinto de aquel permitido en la recreación tradicional.

EXPERIENCIAS SINGULARES DEL OBRERO FABRIL SINDICALIZADO

Mencionaré ahora, sin disponer de un sistema o habilidad para evaluar sus significados, algunas otras experiencias y actividades que hacen al obrero socialmente distinto, y es posible que también culturalmente distinto, de aquel que no trabaja en la fábrica. Debido a las relaciones del sindicato y a los lazos que lo atan al movimiento obrero nacional e internacional, los obreros se vieron llamados a considerar tópicos y asuntos bastante ajenos a su interés cotidiano. Ejemplo de esto fueron votar —como muestra de solidaridad— en favor del pago de salarios de otro grupo de trabajadores guatemaltecos que se dieron a la huelga tres o cuatro veces en 1954, y en el cual todos votaron a favor; apoyar entre otras la propaganda del gobierno nacional contra "el Imperialismo Yanqui" o en favor del programa de reforma agraria; marchar en el desfile del Día del Trabajo como una expresión de sentimiento proletario; mandar un delegado a Viena para que representara a los canteleños en una conferencia sindical izquierdista; la formación de un partido político; y la discusión de la situación de los obreros de tejedurías de todo el mundo, y particularmente, de América Latina.

Estos son intereses que sólo los obreros de la fábrica compartían, y actividades en que solamente los obreros participaban. Consideradas éstas una a una, no parecen estar ligadas a ningún otro modelo de acción, ni a ningún conjunto de actitudes o sentimientos que caractericen al obrero de la fábrica, en contraste con aquel que no trabaja en ella. Supongo que acumulativamente puede creerse que estas actividades y experiencias sirven de base para establecer una diferenciación personal entre los trabajadores fabriles y los no fabriles. Pero por el modo con que fueron evaluadas tanto por aquéllos como por éstos, estoy poco dispuesto a atribuirles un papel determinado en ningún aspecto de diferenciación social o psicológica, excepto en uno o dos casos. Es cierto que estas actividades sirvieron para distinguir al obrero del trabajador no fabril, en el sentido limitado de definir quién las practicaba y a quién le interesaban. Sin embargo, creo que este tipo de diferenciación no es altamente significativo en el sentido social. Un trabajador que marcha en el desfile del Día del Trabajo no fija por ello su diferenciación del resto de la sociedad en mayor grado que el escolar que, por marchar durante la celebración de la Revolución de Octubre, se diferencia de aquellos que tomaron parte en la celebración de revoluciones anteriores de distinta orientación. Digo esto porque los canteleños que marchan en el desfile del Día del Trabajo, no saben el significado histórico del primero de mayo, ni por ello infieren tener lazos con otros canteleños que desfilan con ellos. Para la mayoría, la celebración del primero de mayo es una manera de mostrar su apoyo al gobierno nacional, quien es el que les pide marchar. El apoyo al gobierno nacional se mantiene constante porque los canteleños se dan cuenta de que la base de su sindicato, su alto salario mínimo, depende del gobierno. Asimismo, el contribuir con fondos para otros obreros o asociaciones de obreros se justifica frecuentemente como apoyo a un segmento de la población que a su vez dará apoyo al gobierno nacional. La motivación de la solidaridad obrera o del interés de clase, de conciencia proletaria, no existe generalmente entre los trabajadores sindicalizados. Algunos de los líderes del sindicato tienen este tipo de orientación hacia la sociedad en su sentido más amplio, pero sus circunstancias son especiales así como sus puntos de vista. Volviendo al tema de la propaganda, cuando el gobierno la hace contra los intereses de los Estados Unidos en Guatemala, especialmente contra los latifundios de la United Fruit Company y la gran empresa de electricidad norteamericana, ella no asume, en la mente del trabajador canteleño, la calidad de una aversión consciente ante el "imperialismo" o la explotación extranjera. Estos conceptos son tan ajenos al conocimiento del obrero canteleño como al del trabajador agrícola. La diseminación de clisés políticos entre los obreros y el marchar con estandartes en una ocasión patrocinada por el gobierno, están ligados, a mi entender, con una serie de pasos lógicos que principia con el pago por el trabajo, sigue por medio del sindicato con el apoyo al gobierno por el movimiento obrero y termina con la deducción del mérito de apoyar al gobierno nacional. La mayoría de los canteleños tienen una idea muy vaga de la posición geográfica y de lo que son los Estados Unidos; el "imperialismo" es un concepto que su formación y experiencia no les permiten comprender. Los límites de su mundo no se extienden más allá de la ciudad capital, y aun así no para todos los canteleños ni para todos los trabajadores de la fábrica. No quiero sugerir que el fracaso en cuanto a los frutos de estas actividades extralocales en Cantel sea simplemente una cuestión de información y educación; que si los

canteleños fueran menos ignorantes respecto del mundo moderno, desarrollarían o asimilarían las nociones chauvinistas y
nacionalistas del grupo de clase media baja que entonces controlaba el gobierno nacional. Hay barreras estructurales y situacionales fuertes en la vida de los indígenas de Cantel que
impiden una amplia diseminación cultural de estos conceptos
y de las actividades que, según se presume, debieran provenir
de ellas.

Las carreras de tres de los líderes sindicales

Todo aquel que pudo salvar las barreras estructurales y
situacionales para así poder incorporar los puntos de vista del
mundo moderno relativos a elementos tales como imperialismo,
nacionalismo y explotación, era, de hecho, un obrero fabril.
Sólo puedo pensar en tres hombres que pueda decirse que
hayan asimilado estas ideas hasta hacerlas parte de su personalidad. Estos tres —el segundo secretario general del sindicato, el delegado del sindicato que fue a Viena y más tarde
a Moscú, y un miembro sindical muy activo— todos habían
tenido experiencias especiales relacionadas con las organizaciones y situaciones de poder más allá de los límites de la sociedad local. Los tres se han acercado mucho a convertirse en
"ladinos", a desligarse de la sociedad local y sus instituciones
y a convertirse, en su modo de vida, en miembros de la tradición cultural guatemalteca en su segmento rural y de clase
baja. Tomo esto como evidencia presuntiva de que aquellas
nociones y actividades inherentes a ellas son incompatibles con
la vida tradicional de Cantel. Uno no puede ser un miembro
de "la patria chica" de Cantel, con orientación mental loca-
lista preocupado con sus intereses, viviendo ajustado a sus reglas, llevando a cabo sus obligaciones sociales y deberes rituales
en la organización social, y al mismo tiempo confrontar los

aspectos complejos del mundo moderno en términos políticos, tales como la conciencia proletaria, el imperialismo, etc. Todo ello está más allá de la economía psíquica del individuo, y lo corta de las actividades y metas comunes de los miembros de la sociedad local, pequeña, consciente y distintiva. Es un salto demasiado grande para un individuo el reconocer y aún retener la dependencia sentimental y los lazos sociales con la pequeña sociedad de Cantel. Y la vida de la mayoría de los canteleños es tal, que estas nociones no tienen significado o relación con su existencia o sus creencias, por lo que no pueden convertirse con facilidad en características de un número dado de gente, ni siquiera como alternativas culturales. Dedicar atención personal así como mantener lealtad a conceptos tales como solidaridad de clase, antimonopolio y explotación de parte de los extranjeros, implica un distanciamiento de los ejes tradicionales de la vida canteleña, cuyo resultado final es el abandono de la sociedad local y su cultura.

Estos tres individuos han hecho en gran parte lo expresado en el párrafo anterior. Nos parece de utilidad explorar sus casos como claves para encontrar las fuentes de una diferenciación obrera como la que podría situar a un canteleño en el papel del trabajador fabril que está más allá de los límites de la usanza social y del entendimiento cultural y de lo que es acostumbrado individualmente y socialmente permitido en Cantel.

El segundo secretario general del sindicato, uno de los muchos que fueron atraídos por la idea de una Guatemala independiente y soberana, libre de la explotación extranjera, bajo la guía de una clase alzada de campesinos y trabajadores, fue uno de los primeros obreros fabriles en participar en la formación del sindicato. Como parte de esta actividad fue a la ciudad capital y conoció a algunos de los más jóvenes líderes del movimiento sindical nacional, especialmente al descontento exprofesor Víctor Manuel Gutiérrez. El canteleño fue seleccionado por Gutiérrez como el eslabón especial entre la fábrica de Cantel y el movimiento sindical nacional. Aun más, era el protegido especial del gerente residente en la fábrica, quien en aquel tiempo estaba haciendo campaña activa para ser nominado por uno de los partidos del gobierno para ocupar una curul en el Congreso. Así, desde los extremos cercanos y lejanos de su existencia le fue prometida al secretario general una posición de poder tanto dentro de su comunidad local como más allá de ésta. Me contó que al principio fue atraído por el respeto y atención que los líderes sindicales de la capital le mostraron tanto a él como a la gente que representaba. También le agradó el hecho de que el gerente residente de la fábrica lo seleccionara como la persona a quien se le atribuirían los logros del sindicato. Alcanzó estimación entre sus compañeros de trabajo como el hombre que podía negociar con éxito con la gerencia de la fábrica en el mismo plano. Visitaba la capital con frecuencia, usando como medio de transporte una motocicleta que había adquirido y llevaba allá los problemas de Cantel para su estudio, regresando con ideas, planes y literatura para ser leída y distribuida. Fue puesto en la lista de personas que recibirían publicaciones del gobierno para que distribuyera libros y propaganda. El segundo secretario leía y meditaba sobre lo que decía y hacía el gobierno porque quería aparentar ser una persona inteligente y ganar así el respeto de los ladinos con quienes se rozaba en la capital. Hizo durante nueve años el doble papel de hombre poderoso del sindicato porque podía negociar con la gerencia, y el de hombre de entendimiento porque podía obtener el apoyo del gobierno nacional para el sindicato, y llegó a tomar estas ideas como metas personales, aun cuando su modo de vida cambió cada vez más, asimilándose al del ladino. Al mantenerse en su posición de eslabón entre Cantel y el movimiento sindical nacional, se convirtió en un creyente y expositor de las ideas que transmitía. Parte de su poder dependía de su puesto como confidente de los líderes sindicales nacionales, y ser un confidente involucraba ser lo suficiente ladino como para poder comunicarse y comprenderse con ellos.

Su modo de vida era tan distinto al de los canteleños que usaba guantes color limón al manejar su motocicleta, y el corte o hechura de su traje era occidental; nunca usaba sombrero de paja, sino de fieltro; en ciertas ocasiones lucía una corbata con el nudo correctamente hecho y camisa confeccionada comercialmente; sus pies, calzados, nunca dejaban de lucir los calcetines, y además usaba lentes. Había llegado a adoptar a tal grado la vestimenta urbana que ésta anunciaba a todo el mundo que él no pertenecía exclusivamente al mundo de Cantel, pues esa vestimenta indica que el hombre que la usa tiene que ver, fuera de Cantel, con gente que aprecia esas cosas, al contrario de los canteleños, que reconocen en ello sólo un símbolo de la clase superior. El segundo secretario podía hablar de cosas que a veces sólo comprendía a medias y que a otros canteleños no les importaban en absoluto. Su propia identificación como miembro de la clase trabajadora, el brillo desafiante de sus ojos cuando hablaba de una Guatemala independiente; la simpatía que sentía por personas que para él representaban sólo abstracciones —los asiáticos, los súbditos de las colonias, el negro norteamericano, los desempleados— todo ello mostraba una ampliación de su horizonte mental y una entrega a las cosas ajenas a la comunidad local, y que eran problemas cuya solución dependía de la voluntad y el poder de gente fuera de ella. El segundo secretario también se casó con una ladina, y sus hijos vestían a la usanza ladina.

Físicamente el segundo secretario no se había mudado de Cantel aunque también llegó a hacerlo cuando el gobierno nacional se desintegró a la llegada de Castillo Armas en julio de 1954; pero aun en aquel entonces su vida y el significado de la misma no estaban en Cantel: se había convertido en un hombre marginal dentro de una sociedad que aún no estaba lista para tolerar que uno de sus miembros compartiera su lealtad entre la comunidad y el mundo nacional.

Otro hombre que más tarde llevó el estigma de ser comunista local cuando el gobierno que le había conferido honor y posición fue derrocado, alcanzó su conocimiento del mundo moderno y lejano de Cantel, a través de la experiencia casual de representar a su localidad en el escenario mundial. Esta persona asistió en calidad de delegado del sindicato local a la conferencia de la Federación Mundial de Sindicatos, celebrada en 1954 en Viena. Se había pedido al sindicato que enviara a un delegado y se le escogió a él porque al secretario general, que acabamos de mencionar, le fue advertido por el gerente residente de la fábrica que no fuera. El delegado seleccionado se reunió con otros miembros de la delegación guatemalteca en la ciudad de Guatemala, y voló a Viena vía Bruselas y París. Las dos semanas que pasó sentado, asistiendo a grandes reuniones y escuchando discusiones sobre temas extraños, de delegados de varios países, no llegaron a impresionarlo mucho. Aceptó la oportunidad, ofrecida por los rusos, de visitar una fábrica textil en Moscú. Vestido como todos los demás visitantes, de grueso abrigo negro, sombrero alto de piel, sombrío traje negro, zapatos y corbata haciéndole juego, todo ello regalado por los rusos, y acompañado por un ruso que hablaba español, estuvo en Moscú tres semanas. Visitó fábricas textiles, la ópera, el ballet, los museos, y en pocas palabras recibió todo el tratamiento reservado para huéspedes importantes. Más tarde, en repentina jira relámpago al otro lado del mundo, visitó las casas de veraneo para trabajadores en el Mar Negro, lugar donde su hermana había dicho que el sol tenía su morada y lugar de descanso al caer la noche en Cantel.

Cuando el delegado regresó a Cantel, leyó largos informes que le habían sido proporcionados en las sesiones en Viena y habló sobre todo lo que había visto en Moscú y Europa. Se vio en la posición de defender la utilidad que tenía el haber hecho el viaje, ante la gente del pueblo que lo había financiado, y de parecer bien enterado ante aquellos que en la capital le hicieron preguntas a su regreso. Sus conocimientos y nuevas conexiones fueron recibidos en la localidad con suspicacia. Fue presionado a defenderse porque el elemento anticomunista del pueblo lo había acusado de haber ido al extranjero "para vender la gente" a una ideología extranjera y para establecer algún vínculo raro con poderes maléficos. Se le empezó a considerar algo así como a un foráneo, a un residente desconocido que hablaba de cosas abstractas y posiblemente malas. Una vez fue atacado en la calle durante una riña provocada por considerársele comunista.

Este esfuerzo para justificar, racionalizar e interpretar su experiencia, tanto para él como para otros, inició en él un proceso de interés por el mundo moderno y sus manejos. Hacía viajes frecuentes a la capital para conversar con los líderes laborales, se hizo amigo de un ladino que simpatizaba con el movimiento laboral a pesar de ser empleado de oficina de la fábrica; tomó cursos por correspondencia; leyó literatura del gobierno sobre política y economía; y empezó a tratar de convertirse en un político local tomando parte activa en la organización de un partido. No quiero sugerir que su viaje al exterior haya iniciado esta cadena de actividades, pues no fue así, sino que sirvió de estímulo para que iniciara con pasos firmes su conocimiento de la sociedad extralocal. Su padre era ladino en parte, y a través de éste había aprendido bastante de la cultura ladina. Se había casado con una ladina y vivía en gran parte como ladino rural. Pero vivía dentro del modo de ser de Cantel y participaba de la visión del mundo de la sociedad indígena, aunque diferenciándose bastante del modo de ser, más ortodoxo, del indígena del monte. Fue su viaje al exterior, sin embargo, el que lo conectó a los conceptos foráneos a Cantel y a personas que compartían estos conceptos, y el que le permitió pensar concretamente en relacionarse a esta otra sociedad. Cuando fue derrocado el gobierno, en julio de 1954, se fue del pueblo.

El tercer caso fue el de un obrero de la fábrica, nacido fuera de Cantel, pero que había residido allí por largo tiempo y que se había casado con una muchacha canteleña ladinizada. Este hombre tomó parte en los esfuerzos iniciales de organización sindical y más tarde llegó a ser secretario general del sindicato local. Sus esfuerzos en pro del sindicato, su habilidad para hablar buen español y su experiencia más amplia, lo pusieron en contacto con los representantes de los partidos políticos que entonces se estaban formando en Guatemala. Empujó grandemente al sindicato para aliarse formalmente al Partido de la Revolución Guatemalteca y conversaba frecuentemente con miembros de ese partido en Quezaltenango y la capital. También leía los periódicos y folletos de propaganda del gobierno y se mantenía escuchando un radiorreceptor que acababa de comprar. A su modo de ver, él traía las noticias de afuera a Cantel, y las interpretaba. A través del sindicato se mantenía diseminando información sobre hechos y asuntos ajenos a la comprensión e interés del canteleño promedio. Realizó esta actividad durante cerca de ocho años y empezó a verse a sí mismo como un organizador político, ya que en 1949 el sindicato se afilió, más o menos oficialmente, al PRG; a cambio de esta afiliación se construyó una nueva escuela primaria en el pueblo. El secretario general se consideraba un guía y orientador de la opinión pública con relación a cosas de las que la gente no se hubiera dado cuenta si no hubiera sido por sus esfuerzos misioneros. De este tipo de actividades se forjó su propia imagen como representante local de la democracia y de la Revolución de Octubre; la gente del pueblo lo consideraba ya sea un poco fuera de sus cabales por hablar siempre sobre cosas tan ajenas a ellos, o una persona bien informada porque podía contarse con él para aclarar rumores, proporcionar información y clarificar muchos conceptos extraños. Era él, para la información nacional y los sucesos mundiales, lo que los chismes de las mujeres que lavaban en la pileta pública eran para los sucesos locales y los rumores: un iniciador, sistematizador y divulgador. Y se le veía con la misma mezcla de duda, miedo y desagrado porque controlaba el conocimiento de asuntos que no estaban al alcance de todos, pero que sí era de importancia conocerlos.

Cuando cayó el gobierno de Arbenz este hombre fue acusado inmediatamente de ser comunista y llevado a la cárcel. Después de tres semanas las autoridades lo encontraron inocente y regresó al pueblo. Ya no regresó a trabajar a la fábrica sino que abrió una pequeña tienda en una casa de su suegra y esperaba instalar un molino de nixtamal impulsado por motor de gasolina. Pero la intensidad del aislamiento social de que fue objeto, la manera en que la gente hablaba de él y el que sus conocidos evitaran su trato, así como la actitud hostil del nuevo alcalde, lo hicieron irse del pueblo. Cuando yo dejé Cantel, tenía él hechos planes para mudarse a otro municipio para empezar de nuevo, todavía como apóstol de los principios del gobierno de Arbenz pero esperando hasta que se le presentara una oportunidad favorable. Estaba más allá de los horizontes de cualquier sociedad local por razón de sus vínculos con la ideología de una Guatemala soberana, económicamente fuerte.

Los tres casos indican el grado extremo a que pueden llegar a diferenciarse los trabajadores agrícolas y los artesanos. Algunas de las razones por las que este tipo de diferenciación no se difundió más entre los empleados de la fábrica son evidentes en la integración social y cultural inherente a la pequeña sociedad que milita contra ese tipo de separación. Creo que estos casos indican que el comportamiento personal orientado a un grupo o ideología de visión más amplia que el mundo del municipio, lo enajena a uno de éste: se puede seguir siendo miembro de una sociedad local sólo cuando ésta se mueve en la misma dirección que el disidente.

Muchos trabajadores ostentan un grado de diferenciación similar, aunque menos pronunciada, a la seguida por estos tres hombres. Puede afirmarse categóricamente que aquellos que se interesaron por el mundo externo eran obreros, no peones o artesanos, y que todos eran hombres. Pero de más de 600 obreros fabriles, sólo treinta se habían identificado en algún grado con el mundo externo y la revolución política. Estos treinta no fueron expulsados de la sociedad local, pero se sintieron tan amenazados que dejaron el trabajo de la fábrica después de la revuelta de julio de 1954. Juzgando por lo que dos o tres de ellos me dijeron, el motivo de su renuncia al trabajo fue separarse de un ambiente ocupacional que les daba la posibilidad de convertirse en personas distintas a sus vecinos. Querían dejar detrás de ellos todos los recuerdos de su conexión con una sociedad que no fuera Cantel. Como me dijo Benito, quien se había salido de la fábrica para convertirse en el asistente del cura: "Quiero ganar mi vida sin mezclarme en cosas ajenas".

La intención de explorar los casos que hemos expuesto ha sido la de mostrar qué tipo de diferenciación puede ocurrir para unos pocos y por qué no ocurrió para muchos. También he tratado de indicar las fuentes potenciales del cambio institucional dentro de la comunidad y clarificar cómo la sociedad nacional puede hacerse sentir significativamente dentro de los pequeños mundos que forman la sociedad indígena guatemalteca.

CAPITULO IX

EL MARCO INSTITUCIONAL Y SU AJUSTE A LA PRODUCCION FABRIL

La comparación del trabajador fabril y el no fabril ha establecido la clase y grado de diferenciación social y cultural entre ellos, debidos a sus distintos papeles ocupacionales. El cambio es mínimo y la diferenciación tal, que el obrero fabril —con excepción de los líderes revolucionarios del sindicato obrero— no se diferencia por su tipo de vida, comportamiento social ó personalidad, del trabajador no fabril. Esta falta de cambio obstructor permite la integración continuada del trabajador fabril a su comunidad. Pero la tasa y tipo de diferenciación individual no son proporcionados a la naturaleza y grado del cambio institucional. Los pequeños cambios y sustituciones en el comportamiento personal podrían con el tiempo producir un efecto masivo. Estos cambian la naturaleza de la urdimbre social. Las consecuencias inadvertidas del comportamiento individual pueden resultar en un proceso de conducción y convergencia sociales (Firth 1953:86).

Es este aspecto del ajuste de la comunidad de Cantel al sistema fabril, el que describiré ahora. Una parte de la descripción de la estructura institucional se ha presentado ya en la comparación de la vida social y cultural entre los trabajadores fabriles y no fabriles, la cual recapitularé, haciendo énfasis en otros aspectos.

Las instituciones del municipio de Cantel constituyen un todo integrado. Es decir, que no hay normas culturales en determinados grupos sociales que caractericen un segmento de la población como distinto de otro. Un patrón cultural y una estructura social abarcan a toda la comunidad de ocho mil habitantes. Es cierto que en los cantones más remotos, en los caseríos separados que circundan los límites municipales o "monte", uno puede encontrar la más "antigua costumbre" en algunos elementos de comportamiento y creencias. Estos aspectos están presentes en mucho menor grado dentro del pueblo semiurbano más densamente poblado, pero el rezago no es ahora tan grande como para considerar que el habitante del "monte" presente una estructura institucional distinta a la del habitante del pueblo, o que el campo y el pueblo sean opuestos en algún sentido.

Si presuponemos que el patrón cultural definido como lo que queda comprendido dentro del comportamiento socialmente estandarizado y la estructura social son isomórficos, entonces surge la interrogante respecto de si esta relación ha sido constante durante mucho tiempo y si el contenido y la interrelación de las partes han sido grandemente modificados durante el período de funcionamiento de la fábrica. El problema tiene una dimensión histórica.

La reconstrucción de la historia local de Cantel es una empresa aventurada. No existen documentos de gran importancia relacionados con la pequeña sociedad, y cualquier intento de relacionar las tendencias más amplias de la historia guatemalteca a Cantel no es particularmente provechoso en el nivel de nuestro problema. (Por ejemplo, el uso de períodos convencionales y tipos de indígenas como los definidos por La Farge [1940] o los ampliados más tarde por Goubaud [1952] no nos da una idea clara de los sucesos locales, con excepción de una remota idea que borra toda la individualidad de Cantel.) Uno tiene que fiarse de unos pocos mapas borrosos, algunas cifras sobre la población incoherentemente reunidas, y la memoria selectiva de los informantes más viejos. Esto, conjuntamente con el uso juicioso de la inferencia regularizada de convertir el espacio en tiempo, nos permiten hacer un bosquejo de la sociedad canteleña de hace setenta años. También nos basamos en los trabajos de etnógrafos que previamente han estudiado sociedades del mismo tipo en el altiplano guatemalteco.

Es difícil ver claramente el trasfondo subcultural previo a la formación de la fábrica. De acuerdo con el censo más antiguo de Cantel (Cuarto Censo, 1924) y el último censo de 1950, la población ha tenido un ritmo de crecimiento más bien bajo, aumentando sólo en dos mil habitantes, más o menos, desde 1893. La exactitud de las cifras está expuesta a una grave duda, pero puede inferirse razonablemente un crecimiento lento y firme de la población, con base en las nuevas casas en construcción y en la casi completa ocupación de las viviendas disponibles. Cantel ha mantenido más o menos un lugar relativo en la posición por orden de los lugares poblados en el altiplano durante los últimos sesenta años, lo cual también indica que no ha habido un mayor aumento de población desde que se fundó la fábrica.

La fábrica ha cambiado radicalmente el patrón de residencia en Cantel aun cuando la forma del municipio ya ha sufrido grandes cambios por otras causas. Si se compara un mapa antiguo del municipio, anterior a la fundación de la fábrica (Figura 11), con los mapas hechos durante mi estancia en el mismo (Figuras 2 y 4), la extensión del cambio queda gráficamente revelada. Esto se ha analizado en la sección sobre tipo de patrones de residencia.

INSTITUCIONES ECONOMICAS

Las instituciones económicas de esta sociedad han cambiado muy poco desde hace setenta años. Hasta donde los informantes más viejos pueden recordar, la comunidad ha estado basada en una economía de pequeños propietarios de tierras que cultivaban milpa y trigo, comprendiendo las tierras comunales cerca del quince por ciento del área total del municipio. Los grandes terratenientes nunca han tenido grandes extensiones de tierra, con excepción de una finca propiedad de la familia Urbina, que fue parcelada en 1870, ya que el límite máximo de la riqueza en tierras ha sido cerca de quinientas cuerdas; las fincas rurales pasaban de mano en mano cada generación; los grandes terratenientes nunca llegaron a ser muy grandes ni se convirtieron en arrendatarios o rentistas.

La tecnología agrícola de Cantel es bastante similar a la que existía hace setenta años o más —el equipo precolombino modificado por la introducción de herramientas de metal y bestias de carga y la introducción del trigo en el altiplano en el siglo XVII.

Dentro de esta pequeña economía agrícola, el trabajo asalariado y por contratación eran característicos; el trabajo cooperativo o de intercambio era mínimo. El productor primario vendía su propia producción, ya fuera en la plaza local o en las comunidades de Zunil y Almolonga, las cuales sufrían de escasez de maíz. La producción de trigo era negociada en Quezaltenango. El crédito para los agricultores no estaba institucionalizado, de tal modo que para conseguir dinero para la producción o el consumo se tenía que hipotecar o vender la tierra. Este tipo de organización para la producción agrícola todavía persiste en Cantel.

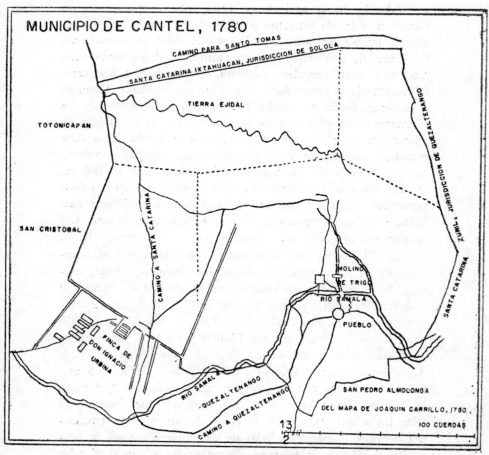

Figura 11. Municipio de Cantel, 1780

Ocupaciones especializadas

Además de la agricultura, otros roles ocupacionales en Cantel eran los de artesanos y otros especializados: carpintero, albañil, tejedor, cortador de leña, músico, barbero, comadrona, fabricante de sombreros, zapatero, sastre, vendedor ambulante, tendero, chimán, panadero, tortillera, componehuesos, carnicero, fabricante de impermeables, fabricante de candelas, jabonero o sirviente. Nadie se ganaba la vida con los intereses de los préstamos o inversiones, o de manipulaciones de cantidades de dinero tan pequeñas que en aquel entonces había. Estas ocupaciones, muchas de ellas no de tiempo completo, todavía existen. Además de los trabajos relacionados con la fábrica, se han añadido las ocupaciones de chofer, molinero, pastor evangélico, sacristán; jefe de policía, alcalde y escribiente asalariados; cohetero, reparador de relojes, lechero y maestro. Las ocupaciones especializadas absorben poco de la fuerza laboral.

La fábrica no está directamente conectada con el advenimiento de las nuevas ocupaciones mencionadas, aunque muchas de ellas estén relacionadas con la llegada de ladinos e indígenas foráneos a Cantel. Sin embargo, la fábrica sí ha cambiado algo de la disponibilidad del tiempo dedicado al trabajo por los canteleños en general. El hilo y las telas eran tejidos en Cantel y otros municipios aledaños hasta cerca de 1910. A las mujeres les correspondía la tarea de hilar usando una rueca de madera que se movía a mano, mientras que tanto los hombres como las mujeres usaban el telar de cintura y el telar horizontal para hacer las telas de sus camisas, pantalones, servilletas, güipiles y telas de uso diverso. Ahora la ocupación doméstica de hilar ha desaparecido, así como el telar de cintura, y el telar horizontal es utilizado solamente por tres hombres que tejen telas de mucho colorido. El telar de pedal es usado todavía por tejedores que hacen telas para camisas y perrajes, pero este arte, como siempre, se aprende en Salcajá, San Cristóbal o Quezaltenango ya sea de ladinos residentes o de indígenas ladinizados, a través de una relación de maestro a aprendiz. El uso de la tela producida en la fábrica, una muselina sin teñir, que en el altiplano tiene el nombre genérico de Cantel, ha hecho que las artes del hilado y tejido a mano se hayan dejado de practicar localmente. Su desaparición coincide con la producción en masa de la fábrica y la competencia resultante de ella para las artes manuales, lo que parece comprobar la observación general de que las artesanías desaparecen o disminuyen ante los textiles fabriles. Por su bajo precio y durabilidad las telas de fabricación industrial son preferidas a las de fabricación casera, que toman más tiempo y esfuerzo y son de inferior calidad, aun cuando el tiempo empleado por las mujeres en esta actividad no era económicamente importante.

El empleo de cerca de una cuarta parte de la población de Cantel que trabaja, no ha alterado de manera significativa la disponibilidad de mano de obra agrícola debido al subempleo que prevalecía anteriormente en las fincas. La mayoría de familias tiene más fuerza humana que tierra a su disposición, y como resultado se ve que un hombre y sus dos hijos trabajan diez cuerdas, trabajo que puede ser hecho fácilmente por un solo hombre. Otra razón es que la mayor parte del trabajo de la fábrica es para mujeres y personas jóvenes, quienes por lo general no son económicamente productivas o empleadas en la agricultura. Aún quedan más fuerzas humanas económicamente productivas disponibles, que trabajo en qué emplearlas en Cantel. La gente busca trabajo continuamente en la fábrica y nadie se queja de la falta de trabajadores agrícolas durante el tiempo de cosecha o de siembra, si es que se está dispuesto a pagar la tasa de salarios en vigor.

Operaciones de mercadeo

Los productos de Cantel todavía se venden en el mercado los domingos, y los productores del área del altiplano —tejedores de San Cristóbal y Salcajá, ceramistas y talladores de madera de Totonicapán, productores de verduras y cebollas de Zunil, Almolonga y Sololá, productores de papas y labradores de metates de Nahualá y Santa Catarina, productores de lana y tejedores de frazadas de Momostenango y San Francisco y comerciantes en cal, comales, copal, lazos, redes, bananos, otras frutas tropicales, huevos, mercancía de tiendas, platería y sandalias— todavía traen sus propios productos o llevan los de la costa y la ciudad a Cantel. Las transacciones se llevan a cabo estrictamente al contado en la situación de libre mercadeo, común en el altiplano (Tax 1953). La fábrica no parece haber afectado en ningún sentido el procedimiento seguido en el mercado del domingo, ni la pérdida de las artes manuales menores de la comunidad ha modificado su importancia o posición en el sistema de mercadeo rotativo (McBryde 1945). La provisión de artículos se lleva a cabo del mismo modo que se hacía en el pasado más remoto de que se tenga memoria a través del intercambio impersonal de dinero en efectivo en un mercado dado, estando siempre allí los canteleños como vendedores de productos agrícolas.

Hay más dinero en Cantel del que solía haber, debido al salario en efectivo que perciben los trabajadores fabriles y a que el mercado dominical se ha extendido los días lunes por la mañana a una pequeña área de la fábrica. Este mercado es mucho más reducido que el dominical que se realiza en la plaza, pero esta segunda oportunidad para comprar no se hubiera presentado a no ser por el poblado de la fábrica y el dinero pagado a los obreros. Son pocos los canteleños que

llegan a vender a este mercado, pues está mayormente com-
puesto por comerciantes ambulantes que llegan de la costa y
paran en Cantel y que saben que siempre hay algo qué ven-
derles a los obreros, aunque no sea día de mercado.

Como complemento de la plaza dominical y el mercado
de los lunes, están las pequeñas tiendas del lugar. Estas consisten simplemente en la parte frontal de casas particulares,
acomodadas con un mostrador de madera, algunos estantes,
un foco de luz sin pantalla, una balanza de metal y una
vitrina que está situada en uno de los extremos del mostrador. La mercadería es escasa, el suministro irregular y no se
regatea como en el mercado libre. Las tiendas son viejas en
Cantel: la primera era propiedad de un ladino alrededor del
año 1880, cuando sólo había dos tiendas en el lugar. Aún
la mayoría de las tiendas son propiedad de ladinos, aunque
ya hay dos que pertenecen a indígenas. Existen nueve expendios de licor que venden comida y otros artículos a la vez.
Aunque hay más tiendas de las que existían antes de la fundación de la fábrica, aún juegan un papel secundario en la
distribución de los productos como cuando se iniciaron. La
única excepción es la tienda de la fábrica, que mantiene mercadería más variada y que incluye helados para niños, tela
para trajes y pantalones, comida enlatada, trastos de metal,
jabones comerciales, dulces de fabricación comercial, rollos de
película, papel para escribir, textos escolares, lápices y plumas.
Esta tienda es un producto directo de la existencia de la fábrica, ya que las cosas que vende no tienen suficiente demanda
entre el indígena del altiplano como para ameritar su provisión en una tienda local. En otras comunidades indígenas estos artículos son adquiridos del vendedor ambulante en la plaza,
o cuando el indígena visita la ciudad o el centro ladino de un
pueblo grande.

Estos cambios no han hecho mucho por rehacer la estructura económica de Cantel. La fábrica está yuxtapuesta a esta economía campesina, obteniendo el trabajo de los campesinos a cambio del pago en efectivo, pero la fábrica es la razón fundamental de la formación dentro del sindicato de nuevos grupos y valores económicos en la incidencia modificada de artículos de consumo.

LA FAMILIA

La familia en Cantel, como dicen los informantes más viejos, mantiene bastante de su estructura anterior a la instalación de la fábrica. Por los mecanismos ya descritos, del ajuste al control de salarios y gastos que ha tenido que sufrir la familia obrera, puede percibirse cómo se ha mantenido esta continuidad. El modelo de la familia canteleña consiste todavía en el rol masculino dominante en la familia nuclear bilateral dentro del conjunto de relaciones extrafamiliares débilmente definidas, con residencia patrilocal seguida por la neolocal en cuanto las condiciones económicas lo permiten. Como hemos indicado anteriormente, el obrero puede llevar una vida familiar más integrada y alcanzar el ideal canteleño con más frecuencia que el no obrero. Incremento en la armonía con lo ideal debido a la mayor riqueza de la población es uno de los cambios a nivel institucional. Al mismo tiempo, la gente me cuenta que ahora existe mucho menos respeto por los padres y las madres, por los hermanos mayores y por los ancianos en general, que el que existía antes. No sé si esto será cierto o si tres generaciones atrás hubiera oído la misma queja. La gente del monte, de hecho, muestra mayor deferencia ante las personas de respeto, dentro y más allá del círculo familiar, que la gente del pueblo o de la fábrica. El gesto que hacen los niños en espera de ser tocados en la cabeza por un adulto a guisa de despedida al irse; el quitarse el sombrero al saludar a los mayores, el uso del *činla tat* o *nan* como saludo para las personas de mayor edad y prestigio, la reverencia al encontrarse uno con otro, la obvia autoridad mayor del hombre en su casa, todas estas costumbres son más comunes en los caseríos rurales, y por lo mismo sirven para reforzar la concepción de la gente de que muchos aspectos del ideal familiar, particularmente la enseñanza del respeto y buena educación, tienen mayor vigencia entre la gente del monte. Pero tomo esta aseveración como una verdad relativa. Creo que la gente del monte está cambiando de la misma manera que la gente del pueblo o de la fábrica, pero a un ritmo más lento, y por lo tanto representan los contornos periféricos de la estructura institucional más bien que una fisión del patrón cultural. Cincuenta años antes, según me cuentan, toda la gente del pueblo usaba el saludo del *činla tat,* mientras que los del monte usaban un saludo más respetuoso, el cual se usa ahora en las salutaciones semirrituales que se intercambian cuando los "tartuleros" se dirigen a la parentela en una ceremonia matrimonial a la usanza antigua. Podrían mencionarse otros ejemplos por el estilo para indicar la naturaleza ondulante del cambio social en Cantel: el impacto original proveniente del pueblo y ahora tanto del pueblo como del caserío de la fábrica, cuyas ondas se mueven hacia los límites físicos del municipio. El objeto de esta digresión es que la estructura familiar de Cantel se ha ajustado a la fábrica sin grandes modificaciones internas y que la familia aún se articula por medio del sistema de producción, del sistema de prestigio, del sistema religioso y del modo de control social con que se articulaba antes de la fundación de la fábrica y del advenimiento del trabajo asalariado.

LA JERARQUIA CIVICO-RELIGIOSA

Aparte de la familia y la organización económica, la estructura social de Cantel ha experimentado un cambio ante el impacto indirecto de la fábrica. La base de la estructura social es el sistema jerárquico de cargos cívico-religiosos que regulan la vida pública, imparten justicia y relacionan formalmente a la comunidad con el mundo sobrenatural. Esta jerarquía cívico-religiosa es el mecanismo por el cual todas las familias, a través de sus miembros del sexo masculino, están interrelacionadas en términos de prestigio y servicio público.

Se esperaba que todos los hombres sirvieran un cargo, y la mayoría así lo hacía. Hace setenta años el curso normal de la vida pública de un individuo seguía el camino ilustrado en la figura 12. Se consideraba a un individuo como candidato al servicio entre las edades de quince a diecisiete años y usualmente empezaba a servir en uno de los cargos entre esas edades. El primer cargo según la progresión ideal era el de *caxal;* cuatro de éstos trabajaban como asistentes del fiscal. Después de un año como *caxal* el individuo pasaba al cargo de alguacil —los de este nombre hacían de mensajeros generales y limpiadores de calles y de la plaza—, seguido de un período típico de tres años de descanso entre uno y otro. Había entre doce y quince alguaciles al mismo tiempo. Los cargos de alguacil y *caxal* se acercan bastante el uno al otro en cuanto a rango, y un individuo podía empezar en cualquiera de los dos, aunque los informantes más viejos dicen que el puesto de alguacil estaba un poco por encima del de *caxal*. Después de un intervalo de tres a cuatro años sirviendo como alguacil, y en el período de descanso, el individuo podía servir como cofrade en una de las cofradías más pequeñas. De este cargo para arriba, se suponía que sólo podían servir hombres casa-

dos, ya que esas funciones requerían de una esposa; desde
este escalón de la jerarquía, son las familias a través de su
cabeza, el hombre, las que se toman como base para ser se-
leccionadas. Había dieciséis hombres con cargos de cofrades
en cada una de las hermandades pequeñas en cualquier año
dado. Después de cofrade el hombre pasaba a ser mayor, el
policía local; había dos turnos de diez hombres cada semana
en esta ocupación. Del puesto de mayor seguía el de fiscal,
que era un asistente del cura y custodio de la iglesia y sus
haberes; había dos fiscales. Casi del mismo rango, pero siempre considerado más alto, estaba el cargo de cofrade de una
cofradía grande o mayordomo de una pequeña. El mayordomo
es el segundo en una hermandad religiosa y tiene a su cuidado
las cofradías en semanas alternas. Había doce puestos disponibles como cofrades en las cofradías grandes y cuatro ma-
yordomos, sumando un total de dieciséis los puestos disponibles
en este escalafón de la jerarquía. Los cofrades de cada cofradía estaban numerados de 1 a 4, pero esto era sólo un ajuste
a las diferentes edades de los que ocupaban el mismo puesto;
los cofrades de más edad recibían el número de rango más
alto, dándoles así una superordenación dentro de la cofradía;
fuera de ella, sin embargo, los cofrades eran considerados igua-
les a los que tenían funciones civiles en términos de servicio
para el pueblo. Como cargo siguiente el hombre recibía el
de regidor, que es similar al de nuestro consejero edilicio o
podía ascender al de auxiliar, el cual sirve como representante
del alcalde en cada uno de los siete cantones rurales; como
había cuatro regidores resultaba un total de once puestos en
este nivel. El siguiente era ya el de síndico, encargado de llevar el registro y tesorería, o bien alcalde de una cofradía pequeña (4 cargos) o el de mayordomo (3 cargos) de una cofradía grande; en este punto de la ascensión de una familia
en la vida pública había ocho cargos qué llenar. Un individuo

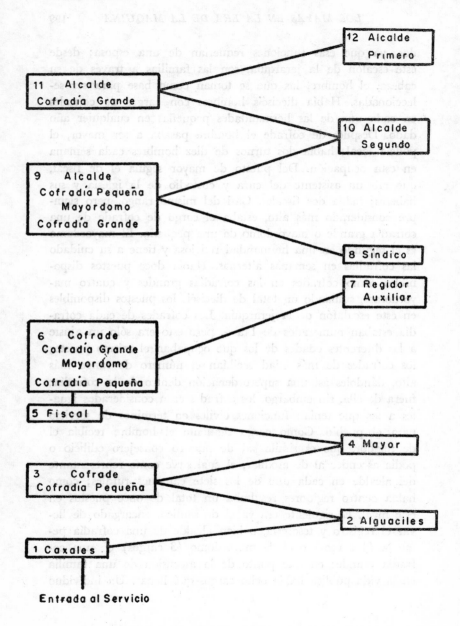

Figura 12. La antigua jerarquía cívico-religiosa

entonces se convertía ya fuera en alcalde segundo —el alcalde asistente del municipio—, o en alcalde de una cofradía grande —la cabeza de una de las tres hermandades religiosas más importantes—, resultando cuatro los puestos a llenar en este nivel. Desde este momento se le podía considerar como candidato, en cuanto a servicio previo y edad, para servir de alcalde primero de la comunidad, quien también actuaba como juez de paz, celebraba matrimonios y sancionaba ofensas menores.

Esta es la representación ideal y frecuentemente aproximada de cómo un individuo servía en su comunidad hace setenta años o más. Desde su temprana adultez hasta edad avanzada, él y su familia se veían involucrados en el servicio público, ocupando puestos religiosos y civiles. Si un hombre empezaba a servir entre los 17 ó 18 años, llegaba por lo menos a los 65 años a completar la escala de puestos cívico-religiosos y por fin se veía libre del servicio público. Desde el punto de vista del individuo, los puestos cívico-religiosos eran considerados como un fastidio, ya que para servir, él y su familia perdían tiempo y dinero. El desempeño de un cargo se llevaba de un mes hasta un año de tiempo disponible para el trabajo y todos los cargos eran *ad honorem* en esos días. Aun más, en la mayoría de cargos la toma de posesión involucraba el gasto de fondos monetarios personales en una recepción ritual que, en el caso del alcalde de la cofradía grande, a veces costaba hasta Q200.00. Los hombres generalmente retardaban la recepción de un cargo cuando eran considerados elegibles y algunas veces buscaban razones aceptables para posponer su turno o para extender su período de descanso entre un cargo y otro.

Funciones de la jerarquía

Desde el punto de vista del público, la jerarquía aseguraba las funciones manifiestas de velar por el orden administrativo de la comunidad, proveyendo protección policial, impartiendo justicia, cuidando de la iglesia, recibiendo en casa a los santos, asegurando los deberes rituales de la comunidad para con el mundo supernatural a través de la celebración de fiestas importantes por una organización debidamente constituida y proveyendo el grupo de ancianos, quienes eran los verdaderos gobernantes del pueblo. Muchos de los hombres se retiraban después de haber servido el cargo número 9 ó 10 (Figura 12), pero si un hombre pasaba los cargos del 9 al 12, se le consideraba un principal, un anciano del pueblo, a quien se le debía mostrar deferencia y respeto público y a quien se le consultaban todos los asuntos de interés de la comunidad. Las decisiones que requerían el uso de fondos monetarios comunales o poder humano eran siempre tomadas por una reunión conjunta de la corporación municipal, es decir, el síndico, los regidores y los dos alcaldes (quienes son indispensables por ley para hacer valedero un compromiso del municipio), y aquellos principales que quisieran hacer acto de presencia y dar a conocer sus opiniones. Nada podía ser decidido definitivamente sin la aprobación y la sanción pública de los principales.

La jerarquía es el eslabón entre la comunidad local y la nación, por una parte, y entre una visión del mundo local y la Iglesia Católica por la otra. Los pedidos y demandas del gobierno nacional guatemalteco son transmitidos a las sociedades indígenas locales a través de los funcionarios de la jerarquía. Frecuentemente, las funciones de la jerarquía como organizadora de una sociedad local no son compatibles con su papel de extensión local de la nación (Nash 1956b).

La operación normal de la jerarquía cívico-religiosa tenía la función latente de ordenar jerárquicamente a las familias por su edad, ya que las familias más viejas estaban en lo más alto de la escala y las más jóvenes en lo más bajo; al mismo tiempo las ordenaba en términos de prestigio, pues el mayor componente del honor social provenía de servir en la jerarquía. Las relaciones de respeto entre familias y personas se llevaban a cabo de acuerdo con su desempeño en el servicio público. Así, el sistema de cargos llevaba los asuntos espirituales y públicos de la comunidad, clasificaba a sus miembros de acuerdo al honor social que les correspondía y los ordenaba jerárquicamente en cuanto a su edad. En el pasado todos sabían quién había servido en cada puesto, y por lo tanto cuánto respeto se le debía a él y a su familia, casi por virtud de la edad que había alcanzado el hombre.

Los canteleños pensaban acerca de la jerarquía como un sistema de cargos, y en gran parte era un sistema. El personal era el mismo tanto para los cargos cívicos como para los religiosos, y no se hacía ninguna distinción entre el servicio prestado en cualquiera de los dos conjuntos de ellos o en términos de desempeño del deber público. Aun más, los dos conjuntos estaban entrelazados por coincidencias simbólicas y sanciones que los reforzaban. Por el conocimiento de sus vecinos, los principales hacían listas de las personas que debían servir en cualquiera de los puestos dados. El alcalde del municipio, usando la sanción de la ley, mandaba una orden a las personas nombradas, anunciándoles que su turno para recibir tal cargo había llegado. Los oficiales de las dos ramas de servicio estaban presentes durante las ceremonias de recepción de cada uno de ellos. Cuando los cofrades recibían el suyo, el alcalde y el resto de la corporación municipal asistían a la ceremonia, y cuando el alcalde tomaba posesión del juzgado, todos los cabecillas de las cofradías venían a presenciar su juramento. Aun más, algunos de los cargos nominalmente religiosos tenían obligaciones seculares, y los seculares tenían obligaciones religiosas. La cofradía de San Buenaventura, por ejemplo, tenía el deber de enterrar a los muertos, lo que incluía la excavación de las tumbas y llevar los ataúdes al cementerio. El alcalde municipal tenía el deber de cuidar la imagen de San Pedro, lo cual conllevaba la función de alcalde, y aquél era considerado como el santo patrono de los mayores y de la corporación municipal. La unidad de las dos ramas de servicio era entonces una realidad viviente debido al empleo del mismo personal, las sanciones que las reforzaban, el eslabón simbólico y la mezcla de los deberes religiosos y seculares.

Ajustes con la fábrica

Este sistema funcionó en pacífica coexistencia con la fábrica durante más de dos generaciones. La fábrica y la jerarquía cívico-religiosa sufrieron ajustes mutuos de menor importancia, los cuales les permitieron funcionar dentro de la misma comunidad. Los historiales de servicio público de los obreros fabriles de más edad, muestran la misma progresión de mayor a regidor y los cargos subsiguientes de la jerarquía, que los de los agricultores de la misma generación. Y, hasta recientemente, los obreros fabriles llevaban a cabo sus obligaciones en el servicio público en ambas ramas de la jerarquía.

La integración de la fábrica al sistema de servicio público fue lograda por modificaciones simples: cuando a un hombre le tocaba su turno de servir un cargo dentro de la jerarquía, la fábrica le daba permiso. En el caso de los mayores o de los guardias, quienes trabajan dejando una semana en blanco, la fábrica les permitía faltar durante la semana en que tenían turno y los dejaba trabajar en semanas alternas. Cuando uno de sus empleados era elegido alcalde, cargo que tomaba dos años de trabajo a tiempo completo, la fábrica acordaba volverlo a emplear al terminar su tiempo de servicio, sin pérdida del cargo. En resumen, la fábrica modificó su ritmo de trabajo para permitir que los empleados sirvieran dentro de la jerarquía; también su calendario de trabajo establecía feriados durante la Semana Santa y la fiesta titular, las dos fechas más importantes del año, y les permitía trabajar tiempo extra para que así no hubiera grandes pérdidas económicas debido a estas largas vacaciones.

Cuando la fábrica tenía un problema relacionado con la comunidad en su totalidad, los gerentes siempre llamaban a los miembros más importantes de la jerarquía civil para discutirlo. Los gerentes frecuentemente se quejaban del tiempo que tomaban estas reuniones, pero nunca trataron de dejar a un lado a los representantes públicos de la comunidad. En algunos proyectos comunales, tales como la construcción de un puente sobre el río que pasa entre la fábrica y el pueblo, poner pisos a la iglesia local, y hacer un camino, la fábrica y la comunidad eran participantes y agentes financieros conjuntamente.

Por su parte, la comunidad hizo algunas concesiones a la fábrica. (Por ejemplo, los lunes por la mañana, cuando la cárcel local estaba a menudo llena de ebrios, la comunidad permitía sacar a los hombres necesarios para el manejo de las máquinas, como se ha descrito anteriormente.) La comunidad no trataba de manejar a la fábrica y la fábrica no trataba de manejar a la comunidad después del período inicial de ajuste descrito en la historia inicial de la fábrica.

Efectos de la Revolución, el sindicato y los partidos políticos

Hasta la Revolución de 1944, la jerarquía cívico-religiosa funcionaba sustancialmente de la manera descrita antes. Los leves golpes que había recibido del protestantismo, la depresión de los años treinta y el sistema de intendentes, no cambiaron su naturaleza ni la privaron de sus funciones (Nash 1955a). Pero, con el advenimiento de la Revolución, se formó un sindicato en Cantel que incluía a todos los obreros fabriles en la comunidad. En sus inicios, la Revolución de 1944 era democrática en cuanto a su orientación y programa, y procuraba integrar al componente indígena de Guatemala a la vida nacional de manera significativa en su aspecto social y cultural (Goubaud 1952).

El Sindicato de Trabajadores de la Fábrica de Cantel (STFC) fue un producto de la Revolución, la cual legalizó los sindicatos. El sindicato estaba asociado a la Confederación nacional de sindicatos, que a su vez era un puntal importante del gobierno de Arbenz. Los dirigentes sindicales estaban en posición de recibir de modo directo las ideas de la democracia política sobre las que se basaba la Revolución, y al dárseles la red de conexiones con el gobierno nacional, estaban seguros de que en cualquier intento que hicieran para llevar a cabo estas ideas y para organizar apoyo político para el régimen nacional se les daría ayuda totalmente legal a través de las agencias gubernamentales.

La Revolución de 1944 prometía elecciones libres y abiertas con participación de todos los votantes del sexo masculino y una extensión del sufragio a mujeres alfabetas, y estimulaba la formación de partidos políticos. En el primer golpe de entusiasmo que corrió a través de toda la nación con la caída de Ubico y la elección de Arévalo, sólo un partido político, el partido del movimiento victorioso de 1944, presentó un candidato en Cantel. Este hombre fue elegido alcalde sin oposición, pero se le consideraba elegible por su edad y su tiempo de servicio dentro de la jerarquía para recibir el puesto. Era un obrero de la fábrica, pero seguía las tradiciones del gobierno civil de Cantel; consultaba los asuntos con los principales; estaba presente en las aperturas de las cofradías; se hizo cargo del santo, lo cual conllevaba el puesto que tenía; nominó a personas para llenar otros puestos dentro de la jerarquía a sugerencia del consejo de ancianos; en resumen, era un alcalde típico, que no violaba los principios de la selección ni las reglas de conducta para optar al cargo.

Pero mientras el sindicato ganaba fuerza y afiliados en Cantel entre 1944 y 1946, las ambiciones políticas de sus dirigentes aumentaron. A través de hombres jóvenes que se habían asociado a la ideología y al programa del gobierno nacional, el sindicato se vio empujado a formar un partido político. El rompimiento con el partido oficial, que entonces lo era el PAR, se produjo a través de una serie de pequeños sucesos en la competencia local por el poder. Una rama de la Unión Campesina, la organización de campesinos patrocinada por el gobierno nacional, apareció en Cantel. Esta organización fue usada por uno de los campesinos para que lo respaldaran en su candidatura a la alcaldía, puesto que en esos tiempos tenía un salario de Q60.00 mensuales, uno de los más altos en toda la comunidad. Al mismo tiempo, apareció un partido anticomunista en Cantel, el Partido Independiente Anticomunista del Occidente (PIACO), cuyo líder también aspiraba a convertirse en el próximo alcalde del municipio. La existencia de estas dos organizaciones era interpretada por los dirigentes del STFC como una amenaza a la política del gobierno nacional que favorecía a los sindicatos y como algo que posiblemente predisponía a la corporación municipal a favor de los agricultores en lugar de los obreros fabriles en la distribución de justicia local. El sindicato también opinaba que debía hacerse sentir en los asuntos locales.

Al tratar de llegar a un acuerdo para presentar un voto unificado favorable al gobierno para las elecciones de 1946, surgió una disputa entre los miembros del sindicato y el consejo de ancianos que querían pertenecer al PAR, el partido oficial. Esto coincidió con el surgimiento en la nación de otro partido revolucionario, el PRG. Los dirigentes sindicales eran de la opinión que los candidatos propuestos para los seis puestos más altos —alcalde, síndico y los cuatro regidores— quienes fueron nominalmente puestos a elección, y quienes fueron de hecho elegidos sin oposición, no eran los más favorables para el sindicato, para los ideales abstractos de la Revolución y para el progreso local y bienestar de la comunidad como ellos lo concebían. En esos tiempos el sindicato estaba en favor de traer agua por medio de cañerías al pueblo y de lograr una promesa de parte del gobierno nacional para la construcción de una escuela rural moderna en Cantel. El resto del pueblo se mostraba neutral ante este programa, aunque el sistema de aguas ya había sido considerado antes y frecuentemente debatido sin llegar a un acuerdo sobre de dónde traer el agua. El PAR presentó su nómina de candidatos ante el antagonismo de los miembros del sindicato. Los tres hombres anteriormente llamados "los desviados ideológicos", junto con un maestro retirado, el telegrafista ladino y unos pocos de la fábrica, decidieron formar el PRG local, el cual respondería a las necesidades del trabajador de la fábrica.

Esta rama local del PRG fue formada, y por vez primera en la historia de Cantel, los partidos políticos en competencia para elecciones se convirtieron en instituciones significativas para la población en general. El PRG propuso su propia nómina de candidatos para las seis posiciones más altas, pero no eran individuos elegibles en cuanto a edad o servicio previo para llenar estos puestos en la jerarquía civil. Eran hombres jóvenes, frisando en los treinta años, quienes por lo general habían servido sólo en uno de los cargos civiles, como el de mayor, y algunos de ellos como cofrades. Las elecciones se llevaron a cabo de acuerdo con las normas del patrón ideal según las leyes guatemaltecas —votos secretos ante la mesa donde estaban sentados los representantes de los diferentes partidos—. Con fondos dados por el partido nacional a la rama local, el

PRG imprimió propaganda elogiando a sus candidatos y degradando a sus oponentes. El PIACO, con fondos de su organización nacional, imprimió el mismo tipo de volantes políticos y el PAR también se vio obligado a hacerlo en defensa propia. La semana anterior a las elecciones parecía una versión en miniatura de las elecciones en los Estados Unidos —las paredes empapeladas de volantes, un camión con altoparlantes alquilado por el PRG y el PAR haciendo propaganda, campañas impugnando el carácter de los distintos candidatos se llevaban a cabo por esos medios y se exhortaba a la gente a votar por tal o cual programa.

El PRG no ganó el puesto de alcalde, pero sí tres de los cuatro puestos del concejo. Los representantes del sindicato estaban a favor de que el gobierno municipal hiciera todo de acuerdo con la ley, y con la constitución del nuevo gobierno. Esto quiere decir que presionaban para que se dejara a un lado la opinión de los ancianos cuando se tratara de llegar a una decisión comunal; nominaciones para puestos altos con base en la afiliación a un partido político y programa del partido, en lugar de edad y servicio previo; y rompimiento con el ala religiosa de la jerarquía, ya que ellos creían que la religión y el Estado debían estar separados.

La maquinaria electoral y la política de los partidos fueron introducidas al pueblo a través del sindicato y sus dirigentes, y este mecanismo continuó siendo el medio de ganar liderazgo político hasta la caída del gobierno de Arbenz en 1954. En las seis elecciones siguientes a su aparición, el PRG continuó desafiando el modo tradicional de selección de líderes, acuerdo de grupo y servicio público, y cada vez con más éxito. Alrededor de 1953-54, durante mi estadía, el PRG había ganado los puestos de alcalde, síndico y tres de los regidores de sus filas. Había terminado su interés por las cofradías y una de ellas se cerró por falta de personal. En 1948, los ancianos habían formado el Comité para ejercer una presión organizada sobre la gente para que sirvieran en las cofradías, ya que el ala civil de la jerarquía estaba fallando en cuanto a agregar su sanción reforzante y la idea de que sólo el servicio civil era obligatorio se había difundido entre los trabajadores fabriles. Los puestos civiles se convirtieron en un objetivo al que todos tenían derecho a aspirar, y ningún hombre seleccionado de acuerdo al criterio tradicional tenía la oportunidad de ocupar uno de los seis puestos más altos, a no ser que también estuviera asociado a un partido político.

Se manifestó un desacuerdo público por esta distorsión del curso ordinario de progresión a través de los puestos públicos y por la presencia de facciones contendientes, en la forma de partidos políticos, pero esto fue parcialmente anulado por los logros de los miembros del sindicato cuando desempeñaron estos puestos. Por llevar el voto cantelense a favor del PRG en las elecciones de diputados, consiguieron la promesa de construir una nueva escuela rural. El edificio fue inaugurado en 1954, en presencia del gobernador, de un diputado del partido, del jefe local de éste y del secretario de educación, quienes alabaron los beneficios tangibles por apoyar al gobierno y seguir el liderazgo de los jóvenes entusiastas que representaban al PRG en Cantel. Existía una contradicción entre los fines que quería lograr la comunidad y los medios que muchos veían como irregulares o hasta deshonestos para lograrlos.

En 1954, el partido del sindicato ganó los puestos de síndico y de cuatro regidores y perdió el de alcalde por un voto. Sólo se depositaron 974 votos en estas elecciones, cinco de ellos de mujeres que trabajaban en la fábrica. Los obreros fabriles estaban representados más que proporcionalmente, y tenían un porcentaje más alto de alfabetos que votaron por el PRG. Esto indica dos cosas sobre la política local de Cantel. Primero, que la mayoría de gente no se mostraba partidaria de un grupo determinado en caso de competencia, sino más bien aceptaba la administración que hubiera obtenido el poder, cualquiera que ella fuera, en lugar de correr el riesgo de ser identificada como uno de los contendientes y por ello exponerse a represalias en su contra en caso de que perdiera su partido; puesto que en la política guatemalteca, a nivel local o nacional, el partido ganador hace sentir el peso de su poder, ésta es una presunción razonable. Segundo, los partidos organizados pueden reunir votantes a su favor y reúnen a gente que sigue a un líder personal. Así, por ejemplo, los 97 votantes por el candidato anticomunista tenían un alto concepto personal de él; muchos de los otros anticomunistas no votaron por el candidato del PIACO porque pensaban que era un pícaro. Mientras los miembros del sindicato que seguían al candidato del PRG lo consideraban personalmente como un hombre muy bueno, los que no lo consideraban así no participaron en la batalla política a su favor. Aquellos campesinos que eligieron a Petronilo como alcalde, ese año, se vieron impulsados a ello porque creían que el patrocinador de Petronilo era un hombre de confiar y un buen dirigente, y no porque esperaran que les adjudicaran tierras o recompensas de parte del gobierno nacional. Sin embargo, es cierto que el PAR les consiguió un pedazo de tierra forestal que había sido largamente disputado entre ellos y el municipio limítrofe de Salcajá. (Esta tierra más tarde volvió a ser parte de Salcajá y siempre fue motivo de temor para los canteleños, ya que pensaban que los salcajeños le harían guerra a Cantel para recuperar su tierra —ejemplo perfecto de la noción de patria chica del Estado no nacional.)

Con el éxito del sindicato de poner en práctica el significado legal de elección y democracia en Cantel y de obtener tantos puestos civiles, los hombres jóvenes decidieron jugarse el todo por el todo. Como me dijo el síndico, ese año: "Los ancianos han gobernado Cantel por demasiado tiempo sin saber cómo lograr una vida mejor. Ya es tiempo de que los hombres jóvenes, que quieren que todo el mundo viva bien, se hagan cargo del municipio". El asunto del abastecimiento de agua volvió a surgir, ofreciéndose así la oportunidad de poner en práctica este principio. La corporación municipal decidió sobre el lugar de donde se podría traer el agua, distinto al sugerido previamente por los principales y los oficiales civiles anteriores. Esta vez ni siquiera consultaron a los principales, sino que dijeron, contrariamente a la tradición, aunque de acuerdo con la ley: "Son los elegidos oficialmente quienes tienen el derecho de decidir, y no los ancianos". El impacto de este rompimiento con lo tradicional en cuanto a decisiones de grupo fue suavizado por la instalación casi inmediata del sistema de aguas por ingenieros del gobierno. La deposición de la costumbre tradicional y de los precedentes de parte de los oficiales jóvenes del sindicato fue compensada acertadamente por el logro real y visible en la esfera material, consecuencia de la conexión íntima del sindicato con el poder en la capital y la nueva relación del pueblo con las estructuras supralocales de poder a través del sindicato.

El estado de la jerarquía

Antes de la caída del gobierno de Arbenz, el estado de la jerarquía cívico-religiosa era el siguiente:

1. Los puestos más altos eran llenados por elección entre los candidatos propuestos por los partidos políticos; el PRG, el partido de los miembros jóvenes del sindicato, era el de más éxito y también era el promotor y sostén de este sistema de votación.

2. La corporación municipal por sí sola tomaba decisiones sin el consentimiento o consulta de los ancianos.

3. La rama civil operaba independientemente de la rama religiosa; los eslabones simbólicos y las sanciones reforzadoras desaparecieron, haciendo dificultoso conseguir personal para llenar los cargos de las cofradías.

4. Debido al programa sindical que habían mantenido las ramas civil y religiosa independientes la una de la otra, por espacio de una década, muchos hombres jóvenes que prestaban servicio civil nunca habían prestado servicio religioso.

5. La rama civil de la jerarquía estaba orientada al gobierno nacional en cuanto a recibir favores y se disponía a implementar un programa progresista, según lo veía el sindicato, como la instalación del sistema de agua, escuelas, caminos, seguridad social y salarios más altos.

6. No se lograba prestigio solamente mediante la terminación del servicio público en la jerarquía, sino que podía lograrse a través del contacto con el sindicato y un partido político.

Resumiendo, la entrada del sindicato local al mundo político, el control del mecanismo de las elecciones, el hacer a un lado a los ancianos, darle menor importancia a los puestos religiosos, el pasar por alto los principios de edad y servicio público como base para ocupar puestos altos y gozar de respeto, dieron por resultado una jerarquía cívico-religiosa débil. Este fue el mayor cambio institucional en Cantel durante toda la historia de la fábrica en la comunidad.

Se me ocurre la pregunta de qué efecto ha tenido esta década de política de la juventud sindicalista, apoyada por el gobierno nacional, en la estructura sentimental y sistema de valores que apoyaba la antigua jerarquía cívico-religiosa en su funcionamiento. Esto es difícil de juzgar con base en la evidencia de que dispongo. Aun cuando la jerarquía no estaba funcionando de acuerdo al patrón antiguo e imagen ideal, todavía servía como medio para conferir honor social y ordenar a las familias en un sistema de rangos. En los funerales de los antiguos alcaldes de cofradías o de sus esposas, el gran número de personas que asistían a dar el pésame indicaba el respeto y estima que se le tenía a estas personas por el servicio que habían prestado al pueblo. Conocí a mucha gente que todavía pensaba que la jerarquía cívico-religiosa funcionaba como una unidad. Un caso extremo fue el de la persona que ocupaba el puesto de fiscal en la iglesia, quien decía que después de este cargo y uno más podría retirarse de la escala jerárquica; para él —esperaba ser el próximo síndico— las dos ramas de servicio todavía eran indistintas y cuando cayó el gobierno de Arbenz, mucha gente expresó su alegría porque creían que ya no habría partidos políticos y que las personas calificadas por su edad y experiencia podrían otra vez asumir los puestos altos en la administración civil de la comunidad. Pero, aun cuando la palabra unidad y el regreso a la tradición estaban todavía en boca del público, el hombre que asumió el puesto de alcalde fue el dirigente local del PIACO; tomó posesión del cargo y eligió a miembros de su partido como regidores. La costumbre empezada por el sindicato de que el servicio público en Cantel fuera de índole política y obtenido por medios políticos, continuó así. Y en el verano de 1956, el partido político de Castillo Armas asumió todos los puestos civiles altos.

Estas evidencias contradictorias hacen dudar acerca del poder regenerativo de la jerarquía cívico-religiosa. Yo no creo que se vaya a volver a la estructura integral antigua, sino que, más bien, continuará secularizándose y siendo un objeto de disputa política.

LEY Y JUSTICIA

Mientras que la forma y naturaleza de la jerarquía cívico-religiosa cambió durante la década de actividad del sindicato, no fue así en su relación con los cánones internos de ley y justicia. Las nociones de justicia y ley de los canteleños eran, durante el tiempo de mi estadía, las mismas que en los tiempos de mis informantes más viejos. Esta institución no cambió con la existencia de la fábrica. Ahora, como antes, los canteleños van al juzgado, el edificio en que el alcalde hace justicia; los casos por los que acuden son del mismo tipo, y casi tan frecuentes como antaño. La mayoría de las disputas son resueltas en el despacho del alcalde. Desde el caso de un hijo que le ha pegado a su papá, o un insulto proferido en las calles, o de un marido ebrio que le ha pegado a su mujer, al traspaso de tierras o propiedades y la cobranza de deudas, los canteleños llevan sus disputas ante el juez de paz para que éste dictamine. Lo que nosotros consideraríamos una discusión que debe ser arreglada entre parientes o amigablemente entre vecinos, los canteleños lo llevarían ante el juzgado. Las discusiones más íntimas y personales son arregladas recurriendo a la ley. De la ley los canteleños esperan y reciben un tratamiento imparcial. Todos saben las penas que se aplican por los diferentes crímenes y quebrantamiento del orden público. La audiencia es una reunión de las partes contendientes para determinar cuál de las dos dice la verdad. Cuando un canteleño dice ante el alcalde, a la vista de la vara (cuya parte superior está cubierta de plata) y con uno o dos regidores a la mano, *"čo tioš"*, ante Dios, es que está diciendo la verdad, y todos consideran que su declaración es verdadera. Pero en la mayoría de casos que he presenciado, el punto que se disputa gira alrededor de la justificación de la acción tomada, en lugar de tratar de precisar si la acción fue efectivamente llevada a cabo como fue descrita en la queja. Hacer justicia requiere por parte del alcalde una gran habilidad para escudriñar las declaraciones, sopesar los reclamos contradictorios, saber la costumbre a través de la cual se convendrá el castigo y convencer a las partes de que su decisión ha sido tomada por medio de un cálculo amplio y justo de los factores pertinentes. Es así como la justicia y la noción de ley operan en Cantel ahora y como operaban en el pasado, hasta donde puede deducirse del juicio retrospectivo de personas informantes sobre la actuación de alcaldes anteriores, lo cual generalmente viene a colación para hacer ver cuán sabiamente tomaban sus decisiones. La ley del municipio aparece entonces como una institución que no ha sido modificada por tener que aplicarse a obreros de la fábrica o por disputas en la misma. Los pequeños agravios en ese medio son tratados por el juez de paz local de la misma manera que los agravios cometidos en la jurisdicción de la municipalidad. La ley local nunca ha tenido nada que ver con felonías, ni con complicaciones legales de propiedades grandes de tierras y títulos de propiedad en disputa, y tampoco lo hace ahora. La ley e institución de la justicia era el ajuste de la comunidad "tribal" a la ley escrita de la entidad nacional. Todavía lo es, aun cuando ahora la comunidad local hace alarde de un espécimen de tecnología avanzada.

POSICION SOCIAL Y PRESTIGIO

Los valores y arreglos sociales relacionados con el honor y el respeto no han sufrido cambio debido a la presencia de mayores ingresos en efectivo en forma de salarios fabriles. Nadie recuerda la existencia de un sistema de clases sociales en la historia de Cantel. Tales diferencias como las hay en cuanto a poder, riqueza, prestigio y modo de vida son pequeñas y tienden a presentarse entre persona y persona, o familia y familia, en lugar de entre segmentos de la población distintos colectivamente los unos de los otros en estas dimensiones. Aun más, la riqueza fluye; el hombre más rico del pueblo se hizo rico trabajando toda su vida, mientras que el que le sigue en riqueza la heredó de su padre. Sin embargo, el hermano del segundo más rico, quien también heredó casi la misma cantidad de dinero, está en camino de convertirse en un hombre pobre por beber en exceso. No hay una clase rica que se mantenga perpetuamente. Los 20 ó 25 hombres (número que varía según el informante que se emplee), a quienes se les llama ricos, no fundaron fortunas ni procrearon dinastías, ya que el proceso de división por herencia fragmenta el monto de la riqueza. La preferencia matrimonial del rico es por el pobre que trabaja, y el mantenimiento de la riqueza depende de la aplicación continua al trabajo directo. Así es todavía el estado de cosas en Cantel.

El prestigio está asociado a la riqueza, pero no depende enteramente de ella. Casi todos los hombres ricos pertenecen a la categoría de personas que gozan de gran honor social y respeto. El honor social, en su primera etapa, proviene de haber servido en la jerarquía cívico-religiosa. Los 39 hombres incluidos en la lista de personas de respeto han servido en uno de los puestos altos de cualquiera de las dos ramas de la jerarquía (ésta es la lista más larga de los ricos, y los treinta primeros son los mismos, o prácticamente los mismos, que aparecen en otras listas similares que he recogido); por tanto todos son hombres de edad avanzada. Pasar por los puestos de la jerarquía requiere gastos de dinero y pérdida de tiempo y de ingresos; los que han tenido puestos altos han sido necesariamente aquellos que han podido afrontar tales gastos, o aun aquellos que por riqueza o rentas han podido pasar por los cargos más rápidamente. La coincidencia parcial entre la riqueza y el prestigio es evidente; los más ricos se pueden dar el lujo de servir, los más viejos son generalmente los más ricos; los más ricos son por tanto, los más viejos y a quienes se les conceden más honores sociales.

La clasificación de gente de respeto también depende del comportamiento personal. Podríamos en este instante considerar la posición social en términos de dos componentes: honor social y prestigio social. Un hombre, y por extensión su familia, acumula honor social por el desempeño de puestos públicos; el prestigio social depende de su conducta en el desempeño de su cargo y en circunstancias sociales generales. Todos reciben deferencia y honor por haber desempeñado cargos dentro de la jerarquía. El prestigio se les confiere a los que "se han portado bien" mientras ejercían una función y a quienes "no arman escándalos en las calles". Aquellos cuya conducta en el desempeño de un puesto se desenvuelve de acuerdo con las nociones de comportamiento apropiado, que no se meten en muchos pleitos o líos en el juzgado y que no están borrachos o gritando en las calles, son clasificados en un nivel más alto que quienes han servido cargos similares pero cuya conducta no es muy recomendable. Sobre el balance de estos dos elementos se le otorga una posición social al individuo. La posición es manifestada a través del saludo formal, por la presencia de muchas personas en los funerales de sus familiares, por la invitación a celebraciones de cofradías o asuntos civiles y por un reconocimiento general de su prominencia.

El poder en los asuntos de la comunidad estaba esencialmente ligado al servicio público prestado y al prestigio, y finalmente, a la riqueza. Pero la mayoría de los hombres esperaba ejercer ese poder influyendo en las decisiones comunales y generalmente podían hacerlo, ya que la riqueza no era estable, por lo que un grupo de hombres de poder y con intereses sectarios y que tuviera continuidad basada en linajes de clases no existía, ni podía existir, dentro de la estructura antigua.

Existe en el rol ocupacional de los obreros, y en las pequeñas diferencias que han aparecido en sus vidas debido a este rol, sólo la dinámica del sindicato que los mueve hacia la formación de una nueva base para obtener prestigio y honor o hacia la formación de clases sociales. La ventaja económica de trabajar en la fábrica no es de tal grado como para poder hacer una fortuna, ni puede el trabajo fabril cambiar la base directa del trabajo como medio para acumulación de riqueza.

La actividad política de los jóvenes líderes sindicales trasladó el centro del poder de los principales a los partidos políticos, pero esto no significaba la cristalización de un círculo cerrado gobernante, ya que hasta los nuevos líderes dependían del voto popular, y por último y consiguientemente del tipo de mecanismos de acuerdo sobre que descansaba la antigua estructura del poder. La comunidad no es dada a un sistema de caciques o al de una clase que controla el poder, y el trabajo fabril no la orienta en esa dirección.

RELIGION Y MORALIDAD

El último marco institucional del trabajo fabril que exploraré es el de la religión y la moral. Este complejo me hace posible indicar la naturaleza de la integración social y cultural en Cantel y mostrar un ejemplo de la cantidad de conflictos que puede sufrir esta sociedad sin destrucción de su vida social. Describiré brevemente parte de los eventos de la celebración de Semana Santa.

La Semana Santa es la festividad más sagrada del año; para el canteleño es "Semana Santa" o "Semana Mayor". La comunidad ha pasado las siete semanas que la preceden haciendo preparaciones para su celebración. El trompetero sube al campanario de la iglesia cada viernes para tocar sus cuatro notas fúnebres al mediodía y a la medianoche para pronosticar la tragedia que va a ser representada en la versión canteleña de la Pasión. Los actores han ensayado; los cofrades han adornado los pisos de la cofradía con hojas de pino; las comidas ceremoniales se preparan en cada hogar. Se construyen en las esquinas de la calle principal arcos que son adornados con frutas tropicales para que la cadena continua de procesiones sagradas pueda pasar a través de un pueblo debidamente adornado. Los santos de la iglesia son cubiertos con mantas, para que no sean testigos de la muerte del Salvador. La inmensa cruz de madera sobre la cual un canteleño representará la crucifixión, se erige en la plaza. Los hombres que van a desempeñar los papeles de los centuriones y de la gente de los tiempos antiguos alquilan sus trajes y practican los bailes. Los catequistas ponen cuadros del Vía Crucis en siete "pasos" que terminan en el Calvario. Las sociedades del Justo Juez y de la Virgen de la Soledad y la cofradía del santo patrono se preparan para la procesión. Todos los habitantes del pueblo están dedicados por esta santa celebración a alguna actividad concreta, y el ambiente entero de la comunidad está cargado con el ajetreo de la preparación e impregnado con la conciencia cavilosa de la profunda santidad de los eventos por venir.

Los valores religiosos más importantes, y la naturaleza de su integración con el grupo que los apoya, se pueden ver en la representación del Viernes Santo. El Viernes Santo es para los canteleños el día más grande y sagrado del año. Así es como se celebra el Viernes Santo en Cantel: Cristo, un canteleño vestido de modo que se parezca a la versión local del

Señor, está en la cárcel, que es un cuarto frente a la plaza convertido en prisión para la ocasión. Se le carga la pesada cruz y es halado con cadenas a través de las calles de Cantel en una fiel reproducción de lo que se supone pasó en Jerusalén hace siglos. Dentro de la iglesia, se cuelga de la cruz una imagen de Jesús mientras suena la música apesadumbrada de una trompeta quejosa y el sonido estrepitoso de matracas de madera, en un momento que constituye un verdadero clímax, mientras cientos de canteleños pasan delante de la imagen crucificada para arrodillarse como signo de triste homenaje. El actor, mientras tanto, ha sido colgado en una cruz corriente de madera en la plaza y una batalla a caballo ha sido representada entre los "romanos" fieles a Cristo y aquellos que quieren que se le mate.

Una procesión que lleva la imagen del crucificado de la iglesia, ahora puesto sobre una anda, sale por las calles y se mueve lenta y solemnemente hacia la plaza, donde se encuentra con los actores que representan la escena de la pasión debidamente disfrazados, en el momento en que están juzgando a Judas. Al mismo tiempo, el sacerdote local, con los miembros de la Acción Católica de Cantel, ha entrado en la plaza para predicar sobre el significado del *Via Crucis,* con la ayuda de cuadros que son llevados por los que lo siguen. La escena es notable y va directamente al núcleo de los valores religiosos y símbolos de Cantel. Cerca de mil personas están concentradas en la plaza para ver el enjuiciamiento de Judas. La procesión entra desde la esquina y espera hasta que se le abra espacio para volver a entrar en la iglesia; desde las gradas de la iglesia cerca de setenta personas siguen al sacerdote y se arrodillan cada cierto tiempo mientras un catequista explica en quiché el significado de cada paso del *Via Crucis.* Los compartimientos históricamente separados de la vida sagrada, la procesión y la representación, una mezcla de catolicismo folk y elementos paganos, están ahora dentro de un espacio pequeño, chocando el uno con el otro física pero no moralmente, excepto a los ojos del sacerdote. (Los protestantes ven estas tres actividades como "paganas".) El sacerdote refleja irritación al verse forzado a retrasar su ritual hasta que se deja pasar la procesión; se muerde el labio cuando el rumor de la sentencia de Judas interrumpe su oración; la procesión se ve en dificultades para pasar entre el tropel de gente, y el canto proveniente de la iglesia protestante calle abajo se oye en la plaza cuando hay en ésta un momento de silencio. Los espectadores dividen su atención entre los reclamos competitivos de los distintos sectores de lo sagrado, pero prestan mayor atención a la procesión y a la representación; uno o dos se unen al grupo que sigue al sacerdote y se arrodillan cuando éste reza. La procesión entra en la iglesia, el grupo del sacerdote la sigue, los actores se dispersan, los protestantes callan y el espectáculo termina. Esta noche la gente dividirá su tiempo entre la procesión del Santo Entierro y la instalación en la sociedad del Justo Juez.

Esta competencia entre partes de la vida sagrada es un evento ocasional, que aparece sólo en momentos en que el tiempo y el personal se ven forzados a yuxtaponerse. Durante la mayor parte del año los distintos elementos de las instituciones religiosas funcionan sin conflicto o fricción, y la gente no actúa o siente con base en las categorías analíticas a que me he referido: cristianismo organizado, catolicismo folk y la experiencia religiosa esotérica. La desarmonía que brota de los valores competitivos y grupos conflictivos en la esfera religiosa no parece causar desarmonía en el individuo. Ellos creen que todas estas expresiones de devoción y símbolos de santidad tienen igual validez e igual razón para ser apoyadas. La estructura institucional de Cantel contiene elementos conflictivos que no suscitan deseo alguno para corregirlos y ordenarlos en una

sola pieza. Las partes del sistema social están ligadas flexible-
mente; la naturaleza de la integración cultural en esta comunidad es tal, que los valores y normas contrastantes y hasta
conflictivos coexisten, y el conflicto ocasional no las encamina
hacia una mayor consistencia. La integración cultural de Cantel
no es una tela finamente entretejida que se desteja al halar
un hilo.

En esta clase de estructura y trasfondo institucional se
formó y ha continuado prosperando la fábrica. Vista de este
modo, la fábrica es otra parte añadida a la malla cultural de
Cantel.

ASPIRACIONES OCUPACIONALES

Es necesario añadir otra palabra sobre los valores contemporáneos relacionados con la operación de la fábrica. ¿Ha
desarrollado la fábrica un conjunto de aspiraciones ocupacionales de acuerdo con su uso de mano de obra entre la futura
población trabajadora? Preguntamos a 136 niños escolares (91
niños y 45 niñas, todos comprendidos entre los 10 y los 15
años de edad) que cursaban del segundo al quinto grado en
las escuelas de la fábrica y del pueblo, cuáles eran sus preferencias de trabajo. Parece que las aspiraciones ocupacionales
reflejan sólo imperfectamente la existencia de una fábrica en
Cantel. La preferencia predominante tanto entre los niños como
entre las niñas era tener una ocupación especializada (artesano,
comerciante, etc.). El trabajo fabril fue escogido por el 18%
de las niñas indígenas y por el 18.7% de los niños indígenas.
Sin embargo, el número de niños que aspiraban a ser mecánicos o sastres y de niñas que querían ser costureras sobre-
pasaba la demanda visible por tales servicios.

Sólo el 23.1% de los niños entrevistados quería seguir la
misma ocupación que tenían sus padres y la mayoría de éstos

eran artesanos. La observación de importancia es que las preferencias ocupacionales de los canteleños jóvenes no están orientadas hacia los dos usos principales de la mano de obra en esta comunidad —la tierra y la fábrica— sino más bien hacia posiciones artesanales o de trabajo independiente. El interés por el cultivo de la tierra, tan frecuentemente mencionado, no se refleja en las esperanzas y deseos ocupacionales de la generación más joven. La operación de la fábrica durante setenta años no ha creado un punto de vista proletario en cuanto a oportunidades de trabajo: el punto de vista de que el trabajo fabril es inevitable. Puesto que la muestra provino de escolares, puede reflejar el papel de la escuela en alentar los impulsos de movilidad social y de ampliar el horizonte en cuanto a las ocupaciones que se pudieran desear.

Los antiguos valores de independencia y suficiencia personal expresados por los mayores con relación a tener propiedad de la tierra, han llegado a ser vistos por los jóvenes en términos de trabajos artesanales que requieren habilidad o algo de habilidad, y de tiendas pequeñas o negocios.

Estas diferencias entre generaciones también pueden ser notadas echando un vistazo a las aspiraciones ocupacionales entre los hombres indígenas que asisten a la escuela nocturna. De los 19 hombres que asistían a estas clases, 10 no expresaron deseos de cambiar sus ocupaciones como resultado de las habilidades técnicas adquiridas en la escuela nocturna. La generación mayor parece estar tan atada a la comunidad por la capacidad económica, obligaciones sociales e identificación personal, que no podía darse el lujo de aspirar a un empleo artesanal o a un trabajo que requiera alguna capacidad y que conlleve la amenaza parcial de tener que salirse de la sociedad local.

CAPITULO X

CONCLUSIONES

Cantel no es ya la misma sociedad que existía antes de la introducción de la fábrica; pero es todavía una sociedad vigorosa y aún un modo de vida distinto, rico en significados locales y en patrones sociales muy alejados de los tipos de sociedades que han inventado y desarrollado la tecnología industrial. La experiencia que Cantel ofrece con respecto a los mecanismos de ajuste a una nueva forma de vida económica y sus presiones resultantes significa por lo menos lo siguiente: pueden introducirse fábricas en sociedades campesinas sin la cadena drástica de consecuencias sociales, culturales y psicológicas implícitas en el concepto de "revolución". La idea de que el cambio social que involucra nuevas formas de producción es necesariamente destructivo en términos humanos, no es apoyada por el caso de Cantel.

A juzgar por el caso de Cantel, la habilidad de la gente para adaptarse a nuevas formas culturales está íntimamente relacionada al control propio y sentido de las circunstancias sociales. El sentido de control parece provenir de la libertad existente para escoger cómo combinar los nuevos elementos, y de descartar o aceptar las innovaciones conforme las consecuencias de éstas se hacen claras. Los canteleños no principiaron a absorber la idea de la fábrica como parte de su vida comunal hasta que se dejó de usar la fuerza y las amenazas de ésta. Empezaron a llegar a la fábrica como trabajadores cuando se dieron cuenta de que era un medio para lograr algunos de sus objetivos.

Los canteleños, como todos, tienen un modo de vida que es infinitamente perfectible y están dispuestos a experimentar, a escoger, a probar cosas nuevas —pero siempre y cuando ellos sientan que pueden tomar decisiones sociales acerca de qué fines son los que deben buscarse. Frecuentemente cometen errores en cuanto a las consecuencias de sus decisiones sociales; con frecuencia tratan de balancear incompatibilidades o de perseguir fines contradictorios o mutuamente exclusivos; ya que ellos, como nosotros, descubren lo que quieren en el ir y venir de la vida cotidiana— en la tarea de tratar de balancear los elementos de cultura y de situación personal de modo que surja una sociedad en la que ellos sientan que valga la pena vivir.

Los científicos sociales no están en una posición bien fundada empíricamente cuando tratan de predecir qué aspectos de la vida social van a ser contradictorios o mutuamente exclusivos. Las expectaciones teóricas, los hechos reportados sobre el impacto de las fábricas en sociedades no occidentales, el devenir de la experiencia histórica, todo indicaba una situación contraria a la que encontré en Cantel. No esperaba que la industria funcionara efectivamente en un trasfondo social tan diferente a una estructura social occidental. Creo que está claro que la gama de comprensión cultural y estructura social en las que pueden operar las fábricas todavía no ha sido establecida. Tenemos mucho que aprender antes de poder determinar la esfera de alternativas abiertas a una sociedad en proceso de cambio económico y tecnológico.

No quiero dar a entender que la realidad en general no esté sujeta a limitaciones y contingencias, de modo que cualquier tipo de sistema productivo y cualquier clase de trasfondo institucional puedan coexistir. Tampoco quiero dar la impresión de que la introducción y operación de una tecnología industrial pueda siempre ser relativamente indolora en sociedades preindustriales o no industriales.

Cantel representa más bien una excepción en cuanto a su experiencia contemporánea con la difusión de la tecnología industrial, o cuando es contrastada con la evolución histórica de las sociedades industriales.

Desde la perspectiva de las experiencias destructivas de la industrialización contemporánea fuera del mundo occidental o de la experiencia inglesa del siglo XVIII, sobresalen las características especiales de la cultura de Cantel y de las circunstancias sociales que han permitido su ajuste a la producción industrial. Las comparaciones también nos permiten decir con cierta confianza qué puede atribuírsele a la operación de la fábrica en sí, en contraste con aquellas condiciones que son reputadas como necesarias para el desarrollo autóctono de la producción industrial.

He investigado y dado a conocer en otro estudio los efectos de la industrialización en aldeas del sur y el este de Asia (Nash 1955b). La desorganización social y desintegración cultural han sido concomitantes uniformes de la producción industrial en esa parte del mundo, pero las fuentes de tensión social no pueden ser atribuidas a la fábrica en sí. En la China, por ejemplo, los cambios políticos e ideológicos y las nociones generadas en la ciudad acerca de las relaciones personales que han acompañado el establecimiento de la empresa industrial en aldeas campesinas, han sido los disolventes más importantes de la sociedad campesina, y no la fábrica. Cantel sufrió los cambios más grandes durante una década revolucionaria, pero nunca rindió el control de sus asuntos a un gobierno central. Las ideas y actividades más revolucionarias pueden ser manejadas por una sociedad pequeña como Cantel, si las gentes de la localidad, sin un control absoluto del poder político y económico, son los agentes y los partidarios de las nuevas formas de vida. Cantel se ajustó al influjo de nuevas ideas en un campo donde la gente local podía tomar las decisiones finales. De distinto modo al caso de la China, la fábrica no era el gobierno y el gobierno no estaba especialmente dedicado al éxito de la fábrica.

En Africa, donde los efectos de la industrialización en las sociedades tribales han sido especialmente marcados, han sido circunstancias especiales las que han acompañado la desorganización. En la mayor parte del Africa, los salarios y el trabajo industrial han sido acompañados por la separación del obrero asalariado de su aldea, con su consecuente separación de las sanciones y control social por parte de la sociedad tribal. Cuando se saca a un individuo de un conjunto de relaciones sociales y se le pone en una situación laboral donde no se permite emerger nuevas relaciones sociales, aunque sean satisfactorias, pueden anticiparse rutinariamente los tipos de cambios resumidos por Mair (1953:1-171).

Moore (1955:41), basándose en investigaciones extensivas de datos publicados sobre la industrialización contemporánea (Moore 1951, 1948a, 1948b), sostiene que:

A la interrogante relativa al impacto de la industria sobre la estructura de la sociedad sólo hay disponibles respuestas parciales. La industrialización involucra urbanización hasta cierto grado, y es uniformemente destructiva de los sistemas extendidos de parentesco (donde prevalecen obligaciones mutuas que unen a muchos parientes de varios grados), y de las costumbres tradicionales de estratificación social. De una manera u otra, todas estas consecuencias están ligadas al proceso de industrialización por la movilización requerida por ella.

El caso de Cantel se ajusta en parte a este diagnóstico. Pero el lado positivo del surgimiento ordenado de las nuevas formas de estratificación, y la más profunda si no más amplia integración de la vida familiar, no están anotadas en las conclusiones de Moore. No estoy tan interesado en lo que tiene que sacrificarse en la industrialización como en lo que puede ganarse. Cantel indica que muchas áreas de su vida tradicional pueden florecer en un nuevo nivel en el proceso de industrialización, y que el encauzamiento de energía humana y habilidad creativa hacia el proceso de cambio social puede encontrar soluciones a los problemas de la vida social, soluciones que no han sido preconcebidas en nuestra teoría o que no han sido logradas en otros casos de cambios similares.

El análisis de la experiencia histórica, por lo menos en Inglaterra, plantea un conjunto de preguntas levemente distintas a aquellas planteadas por la difusión de una tecnología ya establecida. La naturaleza teórica del desarrollo de una sociedad industrial se está principiando a comprender. La pregunta de cómo puede una sociedad reorientar totalmente su estructura social y patrón cultural para poder así generar un continuo progreso económico, obviamente requiere cambios más grandes que los que han ocurrido en Cantel, cambios probablemente del tipo sugerido por Hoselitz (1953).

En la Inglaterra del siglo XVIII se transformó toda la estructura social por el adelanto tecnológico y el surgimiento de una nueva clase social. Plumb (1950) describe los efectos que esta transformación social tuvo en las aldeas, haciendo del obrero un aditamento al proceso de producción y negándole la protección acostumbrada contra la necesidad. En su obra famosa sobre el obrero campesino, los Hammond (1948) han indicado los efectos de las leyes del maíz, el alejamiento del campesino de su lugar tradicional, el uso de la tecnología industrial como una fuente de poder social sobre y más allá de la meta de producción creciente. George (1953) describe los cambios ocurridos en la vida de un pueblo de mediados del siglo XVIII en el albor del nacimiento de una nueva clase política, y las consecuentes penalidades que pasaron los trabajadores fabriles. Estos escritores hacen énfasis en el cambiante clima moral, político y militar que acompañó a la industrialización de la Inglaterra mercantil. Una investigación extensiva de la experiencia histórica está fuera de lo que yo podría realizar y de los propósitos de este trabajo. Lo que quiero decir por medio de esta pequeña selección es que en adición a la revolución en el proceso productivo y en la tecnología, hubo un movimiento social en el desplazamiento de los agricultores y artesanos y su transformación en un proletariado empobrecido, mientras una nueva clase social de empresarios se elevaba a posiciones de poder y prestigio social y económico.

Frente a este conjunto de experiencia contemporánea y evolución histórica de la industrialización, pueden explorarse los factores más generales que explican el buen ajuste de Cantel a la producción fabril. La experiencia de lo ocurrido en Cantel se reviste de cierta novedad. Se trata de un caso en el que *sólo* se añadió el elemento de producción fabril a la comunidad, sin ser acompañado por el advenimiento de nociones democráticas de organización política y social (exceptuando la última década de revolución). Cuando la Revolución de 1944 amplió repentinamente los canales de comunicación entre Cantel y el país y vertió una serie de nuevos conceptos de vida social a través de esos canales, Cantel ya había asimilado la fábrica. Su reacción a la década revolucionaria se basó en el hecho de que ya era en parte una comunidad fabril. Su alianza más cercana al gobierno nacional, el cambio de patrones de liderazgo de gente de edad a los de gente joven y el rompimiento de la jerarquía cívico-religiosa, no hubieran podido llegar a Cantel si no hubiera existido una base social para estos cambios en el sindicato de trabajadores fabriles.

Pero estos cambios, como la fábrica en sí, llegaron a una comunidad en la que existía una continuidad étnica. La gente que había de trabajar en la fábrica o hacerse miembro de los partidos políticos ya había ideado un conjunto de entendimientos sociales y de relaciones personales establecidas antes de la formación de la fábrica y del advenimiento de la revolución. La unidad física de la población significaba que no llegarían una población o tradición cultural foráneas a su sociedad local para competir con ella o, posiblemente, socavarla.

Un segundo factor fue que la organización de riesgos conectada con la operación de la firma económica se extendiera más allá de los límites de la sociedad local. La sociedad local no estaba interesada en aquellos medios especiales y arreglos sociales necesarios para la operación de una firma comercial en un mercado en el cual su existencia continua pudiera depender de la precisión del cálculo y maximización de la producción. La gente del lugar no tuvo que desarrollar maneras de resolver esos problemas. Y, quizás debido a su posición semimonopolista, la fábrica pudo dar empleo regular y continuo; la gente del lugar no sufrió el ciclo de auge y depresión del empleo fabril característico de un mercado inestable.

Tercero, no hubo una transferencia efectiva de los medios de coerción social a personas extrañas a la sociedad local. Y no surgió en Cantel una nueva clase social. Puesto que gente ajena al lugar no tenía el poder para convertir al trabajador fabril de Cantel en un instrumento ligado a la búsqueda privada de la ganancia o en un engranaje, sujeto a manipulación estadística, dentro de algún plan en gran escala de rápido avance económico, el sistema social de antaño continuó siendo el principal medio para obtener prestigio y control social. No hubo una nueva clase social que procurara hacer a Cantel a su imagen y semejanza, ni tampoco pudieron personas ajenas a la comunidad tratar a los canteleños como si fueran unas cuantas unidades de mano de obra.

Cuarto, la nueva industria no compitió con los medios ya establecidos de ganarse la vida. La producción artesanal y el trabajo agrícola no fueron socavados por la pérdida de una proporción significativa de la mano de obra. En Cantel no se presentaron los rasgos característicos de la depresión económica debidos a la reducción de la producción nativa, ni los del auge económico, debidos a la introducción de los nuevos medios de producción.

Quinto, la cultura y estructura social de Cantel contenían muchos elementos que eran favorables al trabajo fabril y la industrialización. Los canteleños eran campesinos acostumbrados al intercambio monetario, ya familiarizados con la estimación de la ganancia y les eran cómodas las relaciones económicas impersonales. Las condiciones de trabajo que precedieron a la fábrica hacían hincapié en la disciplina, el cómputo del tiempo, el esfuerzo físico continuo y los hábitos regulares de trabajo. No había clanes grandes o linajes que hubieran de ser destruidos. Los valores comunitarios eran aquellos de diligencia, frugalidad y trabajo, y se consideraba deseable la riqueza. La cultura era receptiva y durante siglos había ido incorporando selectivamente elementos de la cultura nacional guatemalteca y la sociedad mundial. Este tipo de sociedad, con tal integración cultural, parece ser especialmente propicia al ajuste relativamente fácil al trabajo industrial.

Adelanto estos factores como las condiciones sociales y el trasfondo cultural en los cuales puede ocurrir una industrialización "fácil". La generalización más amplia es, por consiguiente, que hay tipos de sociedades y culturas que en circunstancias sociales especiales pueden ajustarse con relativa facilidad a la producción industrial. En esa generalización percibo las siguientes implicaciones tanto para la teoría como para la práctica:

Una teoría del cambio social y cultural, capaz de analizar las consecuencias de decisiones sociales en situaciones en que los resultados son inciertos, está todavía por ser elaborada. Yo considero que el proceso de cambio se entiende mejor como el resultado de las formas en que los individuos deciden combinar su tiempo, esfuerzo y recursos ante nuevas oportunidades. Esos factores y su combinación orientada por un propósito, fundamentan la emergencia de nuevas relaciones sociales y convenciones culturales.

Conforme estas ideas y otras similares sean elaboradas por medio de otras investigaciones surgirá una teoría del cambio en la cual el papel de la selección será coordinado analíticamente con las características de los sistemas sociales y culturales. Más concretamente, mantengo la visión de un enfoque que considera a los sistemas sociales en virtud de condicionar la selección de dos maneras: (1) por la generación de conjuntos de alternativas, y (2) por la definición de los medios por los cuales pueden realizarse las alternativas. Mi estudio de Cantel es un intento de hacer avanzar ese desarrollo teórico.

Aunque una teoría del cambio adecuada a los problemas contemporáneos no esté completa, con base en los conocimientos actuales pueden indicarse los principales procedimientos prácticos a seguir al efectuar el cambio.

Principalmente, debiera decir lo siguiente a aquellas personas interesadas en reducir al mínimo los costos humanos del progreso tecnológico: Primero, descártese la idea de que ya hay soluciones específicas. En el mejor de los casos disponemos de instrumentos para el diagnóstico que nos capacitan para señalar las situaciones donde puedan producirse la mayor tensión y sufrimiento. Segundo, el programa que tiene mayores posibilidades de ser efectivo es aquel de gran flexibilidad en cuanto a permitir a los miembros de la sociedad en proceso de cambio seleccionar con entera libertad, y descartar fácilmente de entre las alternativas que se les ofrecen. Tercero, cuando el objetivo es el desarrollo tecnológico y económico, el mayor problema del cambio social es la tarea de reclutar las energías y sentimientos de la gente implicada, no la comunicación del conocimiento experto a los ignorantes.

El administrador o experto técnico aumentará al máximo las posibilidades de éxito en el cambio, si asume una actitud tentativa hacia los mejores medios del cambio social y si dedica la mayor parte de sus energías a clarificar las alternativas en una situación en que la selección no es obstaculizada. Ninguna cantidad de conocimientos generales puede substituir al conocimiento detallado de las circunstancias particulares del cambio o al arte de prever consecuencias que puedan tornarse en tragedias sociales.

Cantel enseña la lección generalizada de que los costos humanos de la industrialización no forman parte del proceso en sí. Estos son el resultado de una imagen del hombre sujeto al cambio social que lo representa como a un agente pasivo que responde mecánicamente a fuerzas inmutables, o como al peón del ajedrez de la política, o como al material gastable en una visión económica. Las interrogantes que debemos plantearnos sobre el proceso de industrialización no pueden hacerse apartándonos del hecho ineluctable de que es el hombre el que se hace a sí mismo, o no puede hacérsele de ninguna manera.

BIBLIOGRAFIA

Dirección General de Estadística

1924   Cuarto Censo de la Población de la República, 1921, Guatemala.

1950   Sexto Censo de Población, Guatemala.

Eggan, Fred

1954   Social anthropology and the method of controlled comparison. **American Anthropologist** 56:743-63.

Firth, Raymond

1953   **Elements of social organization.** New York, Philosophical Library.

George, Dorothy

1953   **England in transition.** Suffolk, Penguin Books.

Gillin, John

1945   Parallel cultures and the inhibitions to acculturation in a Guatemalan community. **Social Forces** 24:1-14.

Goubaud C., Antonio

1952   Indian adjustment to modern national culture. En **Acculturation in the Americas,** Sol Tax ed. Chicago, University of Chicago Press. (En español: "Adaptación del indígena a la cultura nacional moderna", en **Cultura Indígena de Guatemala,** Pub. Nº 1 SISG, 1959, pp. 253-263, y en **Indigenismo en Guatemala,** Pub. 14 SISG, 1964, pp. 141-150.)

HAMMOND, J. L. AND BARBARA

    1948   **The village labourer.** I & II. London, Guild Books.

HOSELITZ, BERT F.

    1953   Social structure and economic growth. **Economia Internazionale** 6:4-28.

LA FARGE, OLIVER

    1940   Maya ethnology; the sequence of cultures. En **The Maya and their neighbors.** New York, D. Appleton-Century. (En español: "Etnología maya: secuencia de las culturas", en **Cultura Indígena de Guatemala,** Pub. Nº 1 SISG, 1959, pp. 25-42.)

LEWIS, OSCAR

    1951   **Life in a Mexican village:** Tepoztlán restudied. Urbana, University of Illinois Press.

MAIR, L. P.

    1953   African marriage and social change. En **Survey of African marriage and family life,** Arthur Phillips ed. London, International African Institute.

McBRYDE, FELIX WEBSTER

    1945   **Cultural and historical geography of Southwest Guatemala.** Smithsonian Institute of Social Anthropology, Nº 4. Washington, D.C. (En español: **Geografía cultural e histórica del suroeste de Guatemala.** 2 t. Nos. 24 y 25. Seminario de Integración Social Guatemalteca, 1969.)

MOORE, WILBERT E.

    1948a   Primitives and peasants in industry, **Social Research** 15:41-81.

    1948b   Theoretical aspects of industrialization. **Social Research** 15:277-303.

1951 **Industrialization and labor.** Ithaca, Cornell University Press.

1955 **Economy and society.** New York, Doubleday & Co.

NASH, MANNING

1955a The reaction of a civil-religious hierarchy to a factory in Guatemala. **Human Organization** 13:26-28.

1955b Some notes on village industrialization in South and East Asia. **Economic Development and Cultural Change** 3:271-77.

1956a Recruitment of wage labor and the development of new skills. **Annals of the American Academy of Political and Social Science** 305:23-32.

1956b Relaciones Políticas en Guatemala. En **Integración social en Guatemala.** Seminario de Integración Social Guatemalteca. 1956.

PLUMB, J. H.

1950 **England in the eighteenth century** (1714-1815), Penguin Books, London.

REDFIELD, ROBERT AND SOL TAX

1952 General characteristics of present day Mesoamerican Indian Society. En **Heritage of Conquest,** Sol Tax ed. Glencoe, Illinois, Free Press.

TAX, SOL

1937 The municipios of the Midwestern Highlands of Guatemala. **American Anthropologist** 39:423 44. (En español: **Los municipios del altiplano mesooccidental de Guatemala.** Cuadernos del SISG, N° 9, 1965.)

1941 World view and social relations in Guatemala. **American Anthropologist** 43:27-42.

1953 **Penny capitalism:** a Guatemalan Indian economy. Smithsonian Institute of Social Anthropology, N° 16. Washington, D.C. (En español: **El capitalismo del centavo;** una economía indígena de Guatemala, 2 t. Nos. 12 y 15. SISG, 1964.)

WAGLEY, CHARLES

1941   Economics of a Guatemalan village. **Memoirs of the American Anthropological Association** 58. (En español: "Economía de una comunidad de Guatemala", en **Economía de Guatemala,** Pub. Nº 6 SISG, 1958, pp. 241-289. Véase también **Santiago Chimaltenango,** Pub. Nº 4 del SISG, 1957, pp. 1-102)

1949   The social and religious life of a Guatemalan village. **Memoirs of the American Anthropological Association** 71. (En español, varios capítulos que integran la obra **Santiago Chimaltenango,** Pub. Nº 4 SISG, 1957, pp. 175-333.)

WALLACE, ANTHONY, F. C.

1952   The modal personality structure of the Tuscarora Indians. **Bureau of American Ethnology Bulletin** 150. Washington, D.C.

Terminose la impresión de LOS MA-
YAS EN LA ERA DE LA MÁQUINA,
(3 000 ejemplares en papel bond 80
gr.), el día 29 de abril de 1970, en
la Editorial "José de Pineda Ibarra",
del Ministerio de Educación de Guatemala, C. A., durante la jefatura
del señor Miguel Castro Aristondo.

40 302